Mystery Girls
Stelen in stijl

www.manteau.be
info@manteau.be

Vertegenwoordiging in Nederland
Singel 262
1016 AC Amsterdam
Postbus 3879
1001 AR Amsterdam

Omslagontwerp: José da Cruz
Vormgeving binnenwerk: Philos
Foto achterplat: Koen Broos

ISBN 978 90 223 2865 1
D/2013/0034/223
NUR 272

Stelen in stijl

Jonas Boets

Manteau

1 Party up in here

Hoe leuk een feestje is, wordt meestal bepaald door het volk op de dansvloer. Op het feestje in de woonkamer van de Mystery Girls stond de dansvloer helemaal vol. Er stonden weliswaar slechts acht jongens en meisjes op, maar het was dan ook een hele kleine dansvloer. En dus was het feest geslaagd.

Rond de bewegende mensen zaten, lagen en stonden andere jongeren. Ze babbelden, riepen, lachten en knikten mee op het ritme van de muziek. Candice keek tevreden om zich heen. Hun feestjes waren nu eenmaal de beste, daar kon niemand omheen. Ze boog zich naar Eline, die druk bezig was een iPod in te stellen. De muziek mocht niet stilvallen.

'Geweldig feest!' riep ze in Elines oor.

'Ja, hé', knikte die, zonder op te kijken.

Eline had alles georganiseerd. Toen Madame had aangekondigd dat ze een weekendje wegging, was Eline meteen beginnen te plannen. Nog geen halfuur later waren de eerste uitnodigingen verstuurd. De iPod werd bijgewerkt met de nieuwste hits, drank en eten werden in huis gehaald en de woonkamer werd helemaal *party proof* gemaakt. Zetels werden aan de kant geschoven, er werd plastic op de vloer gelegd en er waren zelfs flikkerende lichten. En nu, enkele dagen later, had iedereen de tijd van zijn leven.

'Madame weet toch dat je een feestje geeft?' vroeg Candice.

'Wat?' riep Eline, die met haar oor voor een van de boxen hing. 'O, ja. Natuurlijk.'

Ze stak haar duim op en draaide zich weer naar de iPod. Candice schudde het hoofd. Een gesprek voeren met Eline was nu niet mogelijk, ze was veel te bezorgd om het feestje. Alles moest in orde zijn, iedereen moest zich amuseren. Net zoals Eline ook vaak bezorgd was om haar zussen.

Candice keek opnieuw de woonkamer rond. De meeste aanwezigen waren vrienden van Eline. Candice kende hen wel, maar ook weer niet zo goed om spontaan met hen te beginnen praten. In de hoek van de zolder zat een jongen alleen. Hij bestudeerde met een iets te grote interesse het barbiehuis van de meisjes dat Eline ter decoratie van de zolder had gehaald, en ook al was zijn drankje al een tijdje leeg, toch bleef hij aan het rietje slurpen.

Candice bekeek hem wat beter. Ze had hem nog nooit gezien. Hoorde hij bij Eline? Hij zag er best wel zoet uit.

Misschien moest ze even bij hem gaan zitten.
Alsof hij Candice' gedachten kon horen, keek hij op. Zijn blik ontmoette die van Candice. Ze glimlachte verlegen, hij deed net hetzelfde. Daarna keek hij opnieuw naar zijn glas en slurpte nog een keer aan het rietje.
'Wat vind je ervan?'
Eva was naast Candice komen staan.
'Ik vind hem wel oké.'
Eva keek haar verbaasd aan, volgde haar blik en zag de jongen naast het barbiehuis.
'O, je bent weer naar de jongens aan het kijken! Nu ja, dat mag hoor. Maar alleen als ik mag meekijken.'
'Waar had jij het dan over?' vroeg Candice.
'Over mijn nieuwe schoenen natuurlijk!' antwoordde Eva.
Ze stak haar been vooruit en showde een goudkleurig muiltje met een hak die zo hoog was dat Candice ervan duizelde.
'Flashy', knikte Candice goedkeurend.
Eva en schoenen, het was een winnende combinatie. Voor de schoenenwinkels dan. Er ging geen week voorbij of ze kocht er nieuwe.
Candice probeerde zich haarzelf voor te stellen op zulke hoge hakken. Ze zou niet durven te bewegen uit angst te struikelen. En dan had ze nog niet gedacht aan de hoogtevrees die erbij kwam.
'Waar is Noor?'
Nu pas besefte Candice dat Noor er nog niet was. Wat had die ook alweer gezegd?

'Die is nog naar een ander feestje', antwoordde ze. 'Maar daarna komt ze naar hier.'
'Als ze maar een beetje fatsoenlijk gekleed is', bromde Eva. 'Anders wil niemand nog naar onze feestjes komen.'
'Dat zal best wel meevallen', lachte Candice.
Noor had soms rare periodes, waarin ze helemaal in een subcultuur opging. Haar gothicperiode bijvoorbeeld was nog lang blijven hangen. Toen leek het wel alsof de meisjes een zombie in huis hadden. Maar de laatste tijd was Noor heel normaal, voor zover ze normaal kon zijn.
Eva zette haar ronde voort om haar schoenen aan iedereen te kunnen tonen. Candice liet haar blik nog een keer afdwalen naar het barbiehuis en zag dat de jongen opnieuw naar haar aan het kijken was, terwijl hij met zijn gsm speelde. Misschien moest ze toch maar eens met de poppen gaan spelen.
Ze liep langs de koelkast en haalde er een cola en een fanta uit. Daarna stapte ze naar de jongen.
'Ik zie dat je een nieuw drankje kunt gebruiken. Cola of fanta?'
De jongen keek verlegen op.
'Wat wil jij het liefst?'
Een gentleman, dacht Candice. Een goed begin.
'Ik neem de fanta, daar zitten minder calorieën in. Of dat hoop ik toch', lachte Candice.
'Jij hoeft je toch geen zorgen te maken over calorieën?' merkte de jongen meteen op.
'Daar heb je gelijk in', glimlachte Candice.
Het klopte niet helemaal, maar een compliment nam ze

altijd in dank aan. Ze stak de cola naar hem uit en hij goot hem gretig in zijn glas.
'Ik dacht al dat je uitgedroogd zou zijn. Daar moet je mee opletten. Zo'n blanke huid droogt snel uit, weet je.'
'Echt waar?'
Hij keek verbaasd van Candice naar zijn huid. Geloofde hij haar echt?
'Ja hoor. Als je niet genoeg drinkt, droogt alles op en komt je huid los. Een beetje *spooky*, maar je mag wel zo meedoen in een horrorfilm.'
De frons op zijn gezicht werd steeds dieper, tot hij veranderde in een brede lach.
'Wauw, dat was even raar', zei hij.
'Ik weet het', zei Candice. 'Ik dacht even dat je echt...'
'Hoe wist je dat?' onderbrak hij haar. 'Ik bedoel van mijn huid. Ik heb echt een droge huid.'
'O.'
Candice wist helemaal niet wat ze daarop moest zeggen. Dus staarde ze hem maar wat aan en liet hem verder babbelen.
'Vooral in de zomer als de zon erop staat, dan... Ik ben Cedric trouwens', herpakte hij zich net op tijd.
Hij stak een beetje ongemakkelijk zijn hand uit. Candice schudde ze.
'Candice, de zus van Eline.'
'O ja', knikte hij en bleef dan even stil. 'Wie is Eline?'
Candice wees naar haar zus, die de iPod had verlaten en zich een kortstondig moment op de dansvloer had begeven.

'Degene die het feestje organiseert misschien?'
'Ach zo. Doet zij dat? Dan zijn jullie ook zussen van Noor?'
'Ja, ken je Noor?'
'Sinds kort. Zij heeft me uitgenodigd op dit feestje.'
'Waarom ben je niet bij haar?'
'Ik dacht dat ze hier zou zijn.'
Candice vond het een beetje vreemd. Wie nodigde er nu volk uit om dan zelf niet te komen opdagen? Als ze Cedric wat beter bekeek, snapte ze wel waarom Noor hem uitgenodigd had. Zijn golvende, bruine haren en zijn brede kaaklijn gaven hem een volwassen en zelfverzekerde uitstraling. En daar was Noor gevoelig voor.
Zijn uitleg klonk echter minder volwassen. 'Mijn vrienden moeten nog komen.' Dat was zowat het meest gegeven antwoord door mensen die alleen waren. Ze besloot hem nog heel even het voordeel van de twijfel te gunnen.
'Doen jullie vaak zulke feestjes?' vroeg Cedric.
'Af en toe', knikte Candice. 'Als Madame niet thuis is.'
'Madame?'
'Dat is onze moeder.'
'Jullie noemen jullie moeder Madame? Wat gek!'
Candice was die opmerking stilaan gewend. Het was voor de meeste kinderen vreemd dat ze Madame tegen Madame zeiden, maar voor de meiden was het doodnormaal. Ze vonden het zelfs raar dat de andere kinderen 'mama' gebruikten.

‘Gek is dat niet. Op je hoofd gaan staan en een kip nadoen, dat is gek.’
Cedric keek haar opnieuw fronsend aan. Humor was niet aan hem besteed.
‘Waarom zou je dat doen?’
Candice wilde zuchten, maar hield zich in. Was hij gewoon zenuwachtig of was hij echt saai? Ze gaf hem nog één kans.
‘Vind je het een leuk feestje?’
‘Best wel’, knikte hij. ‘Er zijn hier leuke mensen.’
Bij die laatste zin kleurden zijn wangen rood. Een ander meisje zou het een aardig compliment hebben gevonden, maar Candice vond er niets aan. Veel te flauw. Ze besefte dat ze hem niet veel kansen gaf, maar ze voelde zich toch niet schuldig. Hij had er maar één moeten grijpen.
Ze keek stiekem om zich heen of ze aan Cedric kon ontsnappen. Het probleem aan zulke kleine feesten was dat iedereen elkaar altijd bleef zien. Cedric zou haar met zijn ogen volgen en beseffen dat ze hem had laten zitten. Candice wilde niet de bitch uithangen tegenover een van de vrienden van haar zus. En dus bleef ze zitten.
‘Wat doe je zoal?’ vroeg ze. Ze kon beter het gesprek aan de gang houden. Ze had al helemaal geen zin om de hele tijd zwijgend tegenover hem te zitten.
‘Ik studeer...’
‘Ik bedoel in je vrije tijd.’
‘O. Eh... Ik golf graag.’
Hoewel Candice het nog nooit had gedaan, leek het haar

een bijzonder saaie sport.
'Golfen? Dat heb ik nog nooit gedaan. Is dat geen sport voor rijkelui?'
Nu ze erover nadacht, zag Cedric er best wel rijk uit. Zijn polo was van Hugo Boss, zijn halsketting van Armani en zijn schoenen van Gucci. Alleen van zijn broek en zijn horloge wist ze het merk niet, maar ze gokte dat ook die duur waren.
'Niet echt', antwoordde Cedric. 'Iedereen kan het doen.'
'Dan moet ik dat eens proberen. Ik wil weleens met zo'n karretje rijden!' lachte ze.
'In feite rijd je niet zo vaak met het karretje, hoor', wierp Cedric meteen tegen. 'Dat wordt vooral gebruikt om...'
'Zo bedoelde ik het niet', mompelde Candice met haar hoofd naar beneden. 'Laat maar zitten.'
Tot haar grote opluchting klonk er op dat moment gestommel aan de deur van de zolder. Candice keek om. Noor kwam binnen, gevolgd door enkele vrienden. Gelukkig, Noor was er! Zij zou Candice wel verlossen van Cedric. Tenslotte had zij hem uitgenodigd.
Ze wilde haar hand opsteken om haar zus te wenken, maar geraakte zover niet. Haar arm verstijfde en geraakte niet meer omhoog. Achter Noor stond een blonde jongen, met zijn haar in een punt rechtop, een grijs spannend T-shirt en een gerafelde jeans. Hij was zoeter dan een suikerklontje.
Als Candice nog had kunnen spreken, had ze op dat moment alleen nog maar 'wauw' kunnen zeggen. Wauw, wauw, wauw.

Voor Candice overeind kon komen was Cedric al opgestaan. Hij zwaaide enthousiast naar zijn vrienden en liep ernaartoe. Candice keek hem boos na. Ook al had ze net nog gedacht dat ze snel van hem af moest, ze kon het moeilijk verkroppen dat hij haar zo in de steek liet. Hij was net iets te enthousiast om bij haar weg te geraken. Dat zou ze hem ooit nog weleens inpeperen. Ze vroeg zich af waarom ze eigenlijk echt zo boos was. Was het omdat Cedric de nieuwe jongen kende? Stiekem had ze gehoopt dat de hele groep naar hen toe zou komen en dat Cedric haar aan de jongen zou voorstellen. Misschien was Cedric daarom weggelopen, om concurrentie te vermijden. Dat moest het zijn, stelde Candice zichzelf gerust.

2 I knew you were trouble when you walked in

De vrienden van Noor keken eerst wat onwennig rond, maar kozen daarna een hoekje waarin ze onder elkaar gingen babbelen. Niet echt sociaal, maar misschien was dat normaal als je niemand van de andere aanwezigen kende. Noor zat tussen hen en leek zich te amuseren. Het viel Candice op dat de meesten gekleed waren zoals Cedric. Smaakvol, maar duur. In wat voor milieu had Noor zich nu weer gestort?
'Raar volkje, hé.'
Eva was opnieuw bij haar komen staan. Haar schoenenronde was voorbij.
'Tja, ze zijn in elk geval beter gekleed dan die van vorige keer.'
Candice en Eva huiverden tegelijkertijd als ze terugdachten aan de smakeloze, zwarte pakjes die Noor en haar vrienden hadden gedragen tijdens haar gothicperiode.

'Een beetje te chic bijna', vond Candice.
Eva schudde meteen heftig haar hoofd.
'Je kunt je nooit te chic kleden! En daarbij, het zou net goed zijn als Noor dure kleren wil dragen, want dan moet Madame ook voor ons dure kleren kopen.'
Candice lachte. Eva was blij voor haar zus, maar zag vooral een opportuniteit voor zichzelf. Candice had niet zo'n behoefte aan dure kleren. Ze wilde in de eerste plaats mooie kleren, het maakte niet uit of dat spotgoedkope of superdure dingen waren.
'Misschien moeten we haar eens afzonderen', opperde Candice. 'Dan kunnen we vragen wie haar vrienden zijn.'
'Komt in orde', knikte Eva en ze draaide zich om.
Als een luipaard sloop ze naar haar prooi toe. Voetje voor voetje kwam ze dichterbij, zo traag dat het nauwelijks opviel dat ze bewoog. De lessen van Madame hadden hun effect niet gemist.
Wanneer ze het groepje van Noor had bereikt, bleef ze stilstaan achter haar zus. Ze keek half over haar schouder en greep dan razendsnel Noor bij haar arm. Eva wilde haar wegplukken bij het groepje zonder dat haar vrienden het merkten.
Dat ging helaas niet door.
Noor was verrast door het plotse trekken aan haar arm en begon zich haast automatisch te verzetten, ook iets dat ze van Madame hadden geleerd. Maar omdat Eva niet losliet, viel Noor pardoes achterover. Het groepje keek geschrokken op naar de brutale overvalster. Eva glimlachte flauw naar Noors vrienden.

‘Hallo, ik ben Eva. De zus van Noor. Al zal ze dat nu waarschijnlijk ontkennen.’
Zonder een reactie af te wachten, nam Eva Noor bij haar arm en sleepte haar naar Candice. Daar rukte Noor zich los en kwam overeind.
‘Ben je helemaal gek geworden?’
‘Geworden?’ reageerde Eva. ‘Nee, ik ben het al een tijdje.’
Ze hief haar been omhoog en toonde haar voeten.
‘Gek op deze schoenen! Wat vind je ervan?’
‘Ben je me belachelijk komen maken omdat ik naar je schoenen moest kijken?’ vroeg Noor boos.
‘Nee, dat is gewoon een leuke bijkomstigheid’, antwoordde Eva nog steeds even vrolijk. ‘We wilden gewoon weten wie je nieuwe vrienden zijn.’
‘Dat wil ik ook weleens weten’, mengde Eline, die er plots bij was komen staan, zich in het gesprek.
‘Jullie zijn ook ongeduldig’, zuchtte Noor. ‘Dat zijn gewoon... mijn nieuwe vrienden.’
‘O, het zijn je nieuwe vrienden’, zei Eva overdreven. ‘Dat had ik nog niet door!’
‘Waar ken je ze van?’ vroeg Candice, om Noor ook eens een gewone vraag te stellen.
‘Ik heb Charlotte leren kennen op een liefdadigheidsbal’, wees Noor naar een meisje met blonde vlechtjes. ‘En zo ben ik ook met de anderen in contact gekomen.’
‘Sinds wanneer ga jij naar liefdadigheidsbals?’ vroeg Eline wantrouwig.
‘Sinds ik...’ begon Noor, maar ze slikte haar woorden in.

Ze keek verlegen naar de grond. 'Ik was in de buurt van een feestzaal en het leek me wel een leuk feestje, dus ben ik naar binnen gegaan.'
Candice moest moeite doen om niet te beginnen lachen.
'Jij bent dus een liefdadigheidsbal *party crasher*!'
Noor kon er gelukkig zelf ook om lachen.
'Iemand moet de eerste zijn, hé.'
Eline keek aandachtig naar het groepje. Hier en daar werd er ook een blik naar hen geworpen. Noors nieuwe vrienden vroegen zich af waar ze bleef.
'Dus dat zijn allemaal rijke mensen daar?'
'Min of meer', knikte Noor.
'Min of meer?' reageerde Eva.
'Allemaal eigenlijk', mompelde Noor.
'Prima!' riep Candice uit. 'Je kunt slechtere vrienden treffen!'
'Absoluut', bevestigde Noor. 'En ik zou ze niet graag kwijtspelen door onbeleefd hier te blijven staan, terwijl ik hen heb uitgenodigd.'
'Groot gelijk', zei Eline. 'En ik moet ook even bij mijn vrienden gaan staan. Ik wil geen slechte gastvrouw zijn.'
Ze draaide zich om en liep naar de ijskast om drankjes te nemen voor haar vrienden. Eva holde Eline achterna.
'Wacht even. Heeft iedereen van je vrienden mijn schoenen al gezien?'
Ook Noor wilde zich opnieuw naar haar vrienden begeven. Candice hield haar echter met een ferme snok tegen.
'Wat nu weer?' vroeg Noor geërgerd.

‘Nog één vraagje, ik beloof het’, zei Candice bijna smekend. Ze wilde het geduld van haar zus niet zo op de proef stellen, maar dat van zichzelf nog minder. Dus moest ze het nu vragen.
‘Wie is die jongen met het grijze T-shirt?’
Noor volgde Candice’ blik.
‘Bedoel je Kristof?’
‘Ik weet het niet, dat vraag ik net aan jou. De jongen met zijn haar omhoog.’
‘Dat is Kristof.’
‘Wat voor iemand is hij?’ vroeg Candice nieuwsgierig.
‘Had je niet gezegd dat het bij één vraag ging blijven? Dat zijn er al twee.’
Noor kon als geen ander dingen letterlijk interpreteren. Meestal was dat leuk, nu vond Candice het flauw. Maar ze begreep ook wel dat Noor terug naar de groep wilde. Zeker met zo’n mooie jongen erbij.
‘Toe nou’, drong Candice aan.
‘Ik ken hem ook niet zo goed. Hij is de broer van Nathalie.’
‘Wie is Nathalie?’
‘Het blonde meisje, naast Margaux.’
Echt duidelijk was Noor niet in haar aanwijzingen.
‘En wie is Margaux?’
‘Dat meisje daar. Met die mooie jurk.’
Noor wees naar een meisje met lang bruin haar, een korte blauwe jurk en een veel te grote ceintuur. Het was pas nu Noor op de kleren van het meisje wees, dat Candice wat beter naar Noor keek. Die droeg een veel te

nauwe witte jurk met pareltjes aan de mouwen. Candice kende die jurk maar al te goed. Het was haar jurk.
'Gaan shoppen?' vroeg ze met een lachje.
Noor werd rood.
'Ik had zelf niets chics, dus heb ik er een van jou geleend. Is het oké?'
'Je hoeft ze nu niet uit te doen, hoor', zei Candice, terwijl ze haar ogen over Noor liet glijden. 'Ze zit alleen wat nauw. En dat wit past ook beter bij een zwarte huid.'
'Ik weet het', bromde Noor. 'Ik heb nu eenmaal jouw maten niet.'
'Ach, het kan erger', glimlachte Candice. 'Ga maar naar je vrienden. En doe de groetjes aan Kristof.'
Noor trok haar jurk goed en stapte breed lachend naar het groepje. Ze werd onmiddellijk bestookt met allerlei vragen. Candice bleef nog even zitten en deed alsof ze de ogen die op haar gericht werden niet zag. Toen ze besefte dat het een beetje zielig werd om de hele tijd alleen te zitten, zocht ze naar Eva. Ze wilde zelf het excuus niet moeten gebruiken 'dat haar vrienden nog kwamen'.
Eva stond voorovergebogen aan de ijskast en haalde er een massa blikjes uit om ze daarna weer terug te stoppen. Na een tijdje haalde ze haar hoofd uit de ijskast en sloot de deur. Ze schudde het hoofd.
'Geen enkele light meer. Eline geeft goede feestjes, maar ze zijn niet goed voor de lijn.'
Eva stopte Candice en zichzelf een cola in de hand. Ze gingen samen aan de rand van de dansvloer staan, waar

het feestje steeds wilder werd. Eline had de muziek zo hard gezet dat gesprekken voeren moeilijk werd. Er zat dus niets anders op dan te dansen. Ook Noor en haar vrienden waren opgestaan en begonnen zacht mee te deinen op de muziek.
Candice stootte Eva aan met haar elleboog.
'Zie je die jongen daar?'
'Natuurlijk', schreeuwde Eva in haar oor. 'Doe me eraan denken dat ik hem straks nog mijn schoenen laat zien!'
'Dat is Kristof', zei Candice. 'Ik vind hem best wel zoet.'
'Ga er dan mee praten', haalde Eva haar schouders op, alsof het de normaalste zaak van de wereld was. Maar voor Candice was het niet zo vanzelfsprekend.
'Ik moet een andere manier hebben. Zomaar op hem af stappen durf ik niet.'
'Daarstraks toch wel?'
'Ja, maar deze jongen is veel knapper.'
Eva dacht even na.
'Een eenvoudige truc die altijd werkt, is er gewoon tegenaan botsen. Dan moet hij wel met je praten.'
'Zomaar, poef, ertegenaan?'
'Jep, meer hoef je niet te doen. Wel sorry zeggen natuurlijk.'
Candice nam een slok van haar cola. Het klonk zo eenvoudig. Maar zou ze dat durven? Ze keek naar Kristof, die ondertussen heftig meedanste. Meer dan de anderen van zijn groepje. Als Candice er gewoon naast ging staan, zou hij vanzelf tegen haar botsen. Dat was gemakkelijker.

‘Wat denk je?’ vroeg Eva. ‘Doe ik het even voor?’
‘Ik ben al weg!’ haastte Candice zich. Ze liet zich soms veel te gemakkelijk inpakken door Eva. Maar toch was ze blij dat ze actie ondernam.
Candice schuifelde langs de dansende mensen heen in de richting van Kristof. Een jongen botste tegen haar aan. Een trucje of was hij gewoon onhandig? Aan de flauwe, verontschuldigende lach die ze te zien kreeg, gokte ze op het laatste.
Ze stond nu vlak bij Kristof. Ze kon hem bijna aanraken. Maar hij botste niet tegen haar. Ze moest nu iets doen, anders zou hij merken dat ze er al een tijd stond. En dan kon ze geen toeval meer als excuus inroepen.
Candice haalde diep adem. Nu. Ze bleef staan. Nu dan. Ze bewoog geen millimeter. Misschien nu? Alleen haar hoofd bewoog.
Kristof begon zich te draaien. Gedaan met twijfelen. Als ze nu niets deed, was het te laat. Hoewel, het was toch goed dat hij haar zag? Maar wat moest ze dan zeggen? Oké, nu!
Candice zette een stap naar voren en botste op Kristof. En morste al haar cola op zijn T-shirt.

Het was stil in de straat waar een grote vrachtwagen stapvoets in kwam gereden. Vinnie, de bestuurder, stopte op honderd meter van de bestemming. Hier en daar schoof een gordijn opzij en keken nieuwsgierige ogen naar het lawaai dat de rust in de straat zo laat op de avond nog verstoorde.

'Stop je nu al?' vroeg Lucky Luca, die naast Vinnie in de cabine zat.
'We mogen niet opvallen', bromde Vinnie.
'Maar dan moeten we alles zo ver dragen!'
Vinnie overwoog de klacht van zijn passagier. Het was Vinnies vrachtwagen, dus hij besliste waar er gestopt werd. Als Lucky Luca met zijn eigen vrachtwagen was gekomen, dan had hij mogen kiezen. Maar hij had wel gelijk. Wat als de goederen zwaar waren? De laatste keer dat ze een Chinese vaas hadden moeten versleuren, was Vinnie drie dagen in bed gebleven met een verschot. Ze hadden nooit veel tijd, dus konden ze de spullen niet optimaal tillen.
Aan kracht had hij nochtans geen gebrek. Elk uur dat hij niet moest werken bracht hij in de fitnesszaal door. Vincent Feys beschouwde zijn lichaam als zijn belangrijkste werkinstrument, nog belangrijker dan zijn vrachtwagen, dus hij maakte er een punt van dat goed te onderhouden. Halters, sit-ups, pompen, roeien, loopband, hij werkte alle toestellen en oefeningen systematisch af en sloot telkens af met een blik op zijn goddelijke lichaam. Zijn vrienden noemden hem Vinnie en dat vond hij oké, want dat paste wel bij zijn looks.
Hij startte de motor opnieuw, checkte op zijn gsm het bericht dat hij had gekregen en reed naar het juiste adres. Daar keek niemand uit het raam. De gordijnen waren gesloten en de muziek was te horen tot buiten.
'Het lijkt wel een feestje', zei Lucky Luca.
Luca dankte zijn bijnaam aan een serie voorvallen waar

hij altijd als door een mirakel ongeschonden uit was gekomen. Een hele bloembak die van twee verdiepingen hoog viel net op het moment dat Luca zijn motorhelm was vergeten uit te doen. Omstanders hadden vreemd gekeken naar de jongen die ging wandelen met zijn helm op. Tot de stenen pot op die helm uit elkaar spatte. Luca had het nauwelijks gemerkt. Of die keer dat hij besloot dat een varken roosteren in de houten schuur van zijn ouders geen probleem kon zijn. Ook niet als hij een fles sterkedrank over het vlees goot om het te flamberen. De hele schuur was tot op het laatste stukje hout uitgebrand, maar Luca werd ongedeerd teruggevonden, peuzelend van een heerlijk stuk vlees. En zo waren er nog wel een aantal gevallen waar Luca zonder een schrammetje uit was gekomen.
'De deur zou openstaan', zei Vinnie.
'Wat moeten we meenemen?'
'Dat horen we ter plekke. Als we boven komen, is het de eerste kamer aan de rechterkant.'
Meestal kwamen ze met hun vrachtwagen overdag bij de mensen, maar Vinnie en Lucky Luca stelden zich geen vragen. Het was nu eenmaal niet vanzelfsprekend om een klus perfect te timen. De mensen moesten nog thuis zijn ook.
Ze wandelden op hun gemak naar de voordeur. Die stond inderdaad op een kier. Vinnie duwde ertegen en keek naar binnen. De muziek werd luider, hij zag flikkerende lichten in de woonkamer.
'Het is hier', knikte hij.

Vinnie en Lucky Luca stapten zonder aarzelen het huis binnen en gingen meteen de trap op. Alsof het hun eigen huis was, liepen ze recht naar de slaapkamer aan de rechterkant.
'Niet meteen een voltreffer', zei Lucky Luca. 'Ik weet niet of Richard G. hier veel aan zal hebben.'
Vinnie haalde zijn schouders op.
'Orders zijn orders. Hij zal zijn redenen wel hebben.'
Hij keek rond. Het was een meisjeskamer, dat was duidelijk, maar geen typische. Er hing maar één poster aan de muur en op het bureau stonden enkele proefbuizen. De tabel van Mendelejev sierde het prikbord. Vinnie was niet helemaal meer mee met de hedendaagse popcultuur, maar hij was er vrij zeker van dat Mendelejev geen hottie van een boysband was.
'Waar bleven jullie zo lang?' klonk plots een stem in de deuropening.
Vinnie keek op en perste een glimlach op zijn gezicht.
'Normaal worden we op voorhand gebrieft, niet de avond zelf. We moesten de vrachtwagen nog ophalen.'
'Jullie worden betaald om altijd klaar te staan.'
Lucky Luca had geen zin in een standje en ging voor Vinnie staan.
'We staan er toch? Wat moeten we meenemen?'
'De kast.'
Vinnie keek naar de kast naast het bureau.
'Die is ingebouwd. Wil je dat we hem uitbreken?'
'Nee, in de kast.'
Lucky Luca opende de kastdeuren. De kast stond

boordevol met dozen, netjes op elkaar gestapeld. Het leek haast of er een systeem in zat.
'Neem alle dozen mee.'
Vinnie opende een van de dozen en keek erin.
'Ben je zeker? Dat gaat niet veel opbrengen.'
'Doe het nu maar.'
Vinnie strekte zijn armen uit en begon de dozen erop te laden. Hij had geen zin om tegen te stribbelen. Hij kreeg liever zijn bevelen rechtstreeks van Richard G. Maar soms had het geen zin om na te denken over wat je al dan niet liever had. Soms moest je gewoon je werk doen.
Samen met Lucky Luca verhuisde hij de dozen naar de vrachtwagen. Ze hadden er drie keer voor nodig en keken niet op of om. Zoals zo vaak konden ze verdwijnen zonder dat ook maar iemand hun aanwezigheid had opgemerkt.

Candice keek Kristof met open mond aan. Hij keek verbaasd van Candice naar zijn T-shirt. Ze moest iets zeggen.
'Sorry, sorry, sorry!'
'Wat doe je nu?' reageerde Kristof.
'Sorry', brabbelde Candice. 'Ik wilde, ik bedoel, ik ging gewoon, eigenlijk zou ik...'
'Ik had liever een fanta gehad', glimlachte Kristof.
'Sorry, ik... wat?'
Candice keek hem verbaasd aan.
'Maak je maar niet druk om dat T-shirt', legde hij snel uit, toen hij zag dat ze hem niet begreep. 'Dat moest

toch gewassen worden.'
'O, maar als je wilt, gooi ik de rest van mijn cola er ook over, hoor.'
Kristof deed alsof hij nadacht. 'Hm, toch maar niet. Ik wil geen slechte indruk maken op de zus van Noor.'
Candice fronste haar wenkbrauwen. Wie bedoelde hij daarmee? Eline of Eva? Haar enthousiasme was onmiddellijk getemperd.
'Op jou', verduidelijkte hij voor de tweede keer.
Candice beet bijna haar tanden stuk. Nu kwam ze helemaal over als een dom wicht dat zijn grapjes niet begreep. Ze moest zich hieruit redden, voor Kristof dacht dat haar hersens vervangen waren door een prop krantenpapier.
'Ik zal even een vaatdoek halen', sprak ze. 'Dan kunnen we redden wat er te redden valt.'
'Goed idee', bevestigde Kristof en hij stak zijn hand uit. 'Ik ben Kristof trouwens.'
Candice stak de hand uit waarin ze haar drankje vasthad en morste het bijna over zijn hand. Deze keer kon ze zich nog net op tijd inhouden en wisselde het blikje van hand. Ze greep zijn hand beet.
'Candice.'
Ze keek hem een ogenblik zwoel aan en liet dan zijn hand los. Ze draaide zich om en liep naar Eline en Eva, die haar van aan de andere kant van de dansvloer hadden gadegeslagen.
'O ja, nog één tip', zei Eva. 'De truc met het botsen doe je natuurlijk niet met een drankje in je handen.'

'Bedankt. Dat zeg je net op tijd!'
Eva hief haar handen op. 'Hé, niet kwaad worden. Ben je met hem aan de praat geraakt of niet?'
Ze kon Eva geen ongelijk geven. Maar ze had Kristof toch liever op een andere manier leren kennen. Candice richtte zich tot Eline.
'Hebben wij hier ergens een vaatdoek?'
'In de emmer', wees Eline naar een kleine emmer met water die naast de ijskast stond.
Candice boog zich voorover en wrong de vaatdoek uit. Veel zou het niet helpen, maar ze vond het een prettige gedachte om ermee over Kristofs lichaam te kunnen wrijven. Misschien moest ze voorstellen om zijn T-shirt gewoon uit te doen.
Toen Candice weer overeind kwam, merkte ze dat er iets niet klopte. Iedereen was gestopt met dansen, de muziek was abrupt uitgezet. In het midden van de dansvloer stond Madame. Ze droeg een van haar vele mantelpakjes en had een tas met golfstokken op haar rug. Haar gezicht was helemaal rood en haar blik bliksemde de kamer door.
'Wat heeft dit hier te betekenen?' riep ze luid. 'Ik geef iedereen één minuut om zich uit de voeten te maken. Anders kom ik persoonlijk kennismaken met deze golfstokken!'
Terwijl de feestgangers elkaar geschrokken aankeken en na enkele seconden in beweging kwamen, draaide Eva zich naar Eline.
'Ben je héél zeker dat je een feestje mocht houden?'

3 All for one and one for all

Als een vulkaan barstte Madame uit. De woede bleef uit haar lijf stromen en verschroeide de meisjes. Nog nooit hadden ze haar zo kwaad gezien. De hele avond gebruikte ze woorden als verantwoordelijkheid, vertrouwen en beschamen.
'Dat jullie een feestje geven, vind ik niet zo erg, maar wel dat jullie het doen zonder toestemming!'
De meiden konden niet anders dan hun hoofd buigen en naar de grond staren. Spijt komt nu eenmaal altijd te laat.
Candice had een dubbel gevoel. Ze vond het spijtig dat ze Madame hadden teleurgesteld, maar ze was toch blij dat het feestje er was geweest. Anders had ze Kristof nooit leren kennen. Nu ja, leren kennen. Hij was samen met de anderen het huis uit gevlucht, bang voor Madames golfstokken. Candice hoopte dat hij niet te veel was afgeschrikt.

'Wiens idee was het eigenlijk om die herrie hier te veroorzaken?' vroeg Madame.
De meiden keken elkaar even aan, genoeg om te weten wat ze zouden antwoorden.
'We hebben het samen georganiseerd', mompelde Eva. Eén voor allen, allen voor één, het was hun motto en dat zou het blijven. Eigenlijk was dat het motto van de vier musketiers, maar die zouden het vast niet erg vinden dat de meisjes leentjebuur speelden.
'Ik vind het heel mooi dat jullie het voor elkaar opnemen', glimlachte Madame zuur. 'Maar ik zou toch willen weten wie het feestje heeft gegeven.'
Niemand zei iets. De meiden probeerden om ter hardst niet naar Madame te kijken. Wat een vervelende situatie. Candice wilde niet liegen tegen Madame, maar ze wilde ook haar zus niet verraden.
'Goed, dan trek ik jullie zakgeld voor de komende maand in.'
'Wat?' reageerde Eva iets te luid. 'Hoe moet ik dan schoenen kopen?'
'Ik heb het net zo hard nodig', kreunde Noor.
Candice reageerde niet meteen, maar dacht na over de gevolgen. Geen zakgeld betekende geen nieuwe kleren, geen uitstapjes, geen ijsjes. Geen zakgeld betekende eigenlijk dat ze niets meer zou kunnen doen, tenzij bedelen bij haar vrienden.
'Oké, oké', zei Madame toen ze de heftige reacties zag. 'Ik meende dat niet van die maand geen zakgeld.'
De meisjes haalden opgelucht adem. Ze wisten dat

Madame in haar verleden allerlei oorlogstechnieken had geleerd, maar chantage had ze nog niet vaak toegepast. En ze leek te beseffen dat ze niet te hard mocht zijn voor haar dochters.
'Jullie krijgen twee maanden geen zakgeld', zei ze droog. Haar woorden waren even efficiënt als een plastic tas over het hoofd van een ondervraagde. De meiden braken onmiddellijk.
'Ik heb het feestje georganiseerd', zei Eline zacht.
Madame draaide haar hoofd naar Eline, die haar ogen neersloeg. Daarna keek ze de andere meiden één voor één aan.
'Als jullie ons even willen excuseren?' vroeg ze beleefd.
Dat wilden ze maar al te graag. Ook al lieten ze Eline niet graag in de steek, toch waren ze blij dat ze weg mochten. Op hun tippen verlieten ze de woonkamer en lieten Eline achter als krijgsgevangene van Madame.

'Zou dat nu echt zoveel waard zijn?' vroeg Lucky Luca, terwijl hij naar een groot schilderij keek dat hij samen met Vinnie in een vrachtwagen laadde.
'Kunnen we daar straks over nadenken?' kreunde Vinnie.
Vinnie stond onderaan en ondersteunde op zijn eentje de zware lijst. Filosofische gesprekken over kunst waren op dat moment niet aan hem besteed.
'Ik denk dat ik dat ook wel zou kunnen.'
'Wat?'
'Zo'n schilderij maken. Erg moeilijk kan dat toch niet

zijn.'
'Kun je ook zo'n schilderij optillen? Dat zou pas gemakkelijk zijn!'
Vinnies gezicht was rood geworden. Lucky Luca zag de hoogdringendheid en hielp hem mee de lijst in het laadruim te zetten.
'Echt waar', ging hij verder, terwijl ze het huis weer in wandelden. 'Ik zou een goede schilder zijn. Ik zou wel wat modernere dingen maken. Meer abstract, met veel kleuren. Niet zoals die ouwe brol van die rijkelui.'
Vinnie keek hem even aan, zich afvragend of Lucky Luca een grapje maakte of niet. Maar die was heel ernstig.
'Ik moet alleen nog kiezen met welk materiaal ik ga werken. Waterverf of olieverf. Waterverf denk ik, olieverf gaat zo moeilijk uit je kleren.'
Ze tilden met hun tweeën een marmeren beeld van zijn sokkel. In de kamer naast hen hoorden ze stemmen.
Vinnie luisterde even.
'Die zijn nog even bezig.'
Hij voelde zijn spieren spannen terwijl ze het beeld langzaam naar buiten droegen.
'Zou Richard G hier nu zoveel mee verdienen?' vroeg Lucky Luca.
Daar had Vinnie nog niet vaak over nagedacht. Zij werden goed betaald voor hun diensten, dat was wat telde. Als je wat verder nadacht, wilde dat ook zeggen dat hun baas er goed aan verdiende.
'Ik bedoel, het is toch veel gedoe, al die spullen een voor een meenemen. Zou hij niet beter een grotere slag

slaan?'
'Misschien wel. Ik heb hem er al weleens over bezig gehoord. Dat hij zijn actieterrein wil verleggen.'
'Musea en zo? Daar valt wel wat te rapen.'
Vinnie dacht na en probeerde ondertussen het beeld wat beter vast te pakken.
'Zou kunnen. Maar daar is de bewaking ook wel wat strenger. En dan zijn wij de pineut, want wij zijn degenen die geklist worden.'
'Dan hoop ik dat het iets wordt waar niet te veel beveiliging is', zei Lucky Luca.
Ze laadden het beeld in de vrachtwagen en zetten het goed vast zodat het niet in duizend stukken kon breken. Richard G zou daar niet mee opgezet zijn.
'De baas zal er wel over nagedacht hebben. Als wij worden gepakt, heeft hij ook niets. Als hij zo slim is om dit te doen, zal hij vast ook wel een ander goed plan hebben.'
'Misschien moeten we dan wel opslag vragen.'
'Durf jij dat?'
Ze hadden met Richard G nooit over geld gediscussieerd. Hij had hen een bedrag aangeboden en dat hadden ze aanvaard. Ze hadden nu eenmaal geen vakbond waar ze naartoe konden stappen.
'We moeten toch een risicopremie krijgen? Hoogtewerkers krijgen dat ook.'
'Ik denk dat je meer risico loopt op een ongeval als je zo'n premie vraagt dan wanneer je ze niet vraagt. We zullen maar eens verder werken, anders komt dat

ongeval er nog sneller dan gedacht. Was er nog veel?' vroeg Vinnie.
'Boven zijn er nog juwelenkistjes', zei Lucky Luca. 'Dat is alles.'
'Ik ga wel. Maak jij de vrachtwagen al vertrekkensklaar?'
Lucky Luca begon alle goederen te controleren en trok de touwen aan waar nodig. Alles was vlot verlopen, zoals gewoonlijk. Als ze voortmaakten, konden ze nog een hele namiddag in de fitnesszaal doorbrengen.
Vinnie stapte de grootste slaapkamer in. Lang hoefde hij niet te zoeken, mensen legden hun spullen bijna altijd op dezelfde plaatsen. Hij keek eerst in het kastje naast het bed en rommelde tussen de lingerie. Niets te vinden. Dan maar de kast proberen. Vinnie opende de grote schuifdeur en duwde de talloze jurken opzij. Hebbes. In een hoekje achteraan stonden enkele dozen. Hij haalde het deksel eraf. De gouden en zilveren sierraden lachten hem toe. Hij schrok allang niet meer van de hoeveelheid, te veel om in een leven te dragen. Tenzij je elke dag een andere gouden ketting aandeed natuurlijk.
Hij nam de dozen en liep terug naar de trap. Daar hield hij zich in. De stemmen in de woonkamer werden luider. Ze kwamen naar de deur. Te vroeg. De deur zwaaide open en een man in een overall kwam naar buiten, druk pratend met een dame in een korte gouden jurk en een opzichtige zilveren ketting. Vinnie keek naar hen tussen de spijlen van de trap door. Zijn vluchtweg was afgesloten.
De vrouw giechelde terwijl de man bleef praten. Aan de

deur schudde hij haar de hand en hij verdween. Vinnie zette enkele stappen achteruit, de vrouw mocht hem niet zien.
Als ze nu gewoon terug naar de woonkamer zou gaan, dan kon Vinnie meteen naar buiten. Maar dat deed ze niet. Ze bleef even in de gang staan, trok haar jurk goed en stapte toen naar de trap. Vinnie keek om zich heen, de grootste slaapkamer mocht hij niet nemen, dat was haar kamer. Dan maar een andere deur.
Hij kwam terecht in een kamer met fitnesstoestellen. Hij voelde zich er meteen thuis, moest zelfs de neiging onderdrukken om de halters een paar keer op te tillen. Hij keek door het raam naar buiten. Lucky Luca lag met zijn benen omhoog in de cabine van de vrachtwagen. Hij maakte zich niet meteen zorgen om Vinnie.
De vrouw kwam de trap op. Vinnie hoorde haar hakken tikken op het hout. Hij werd zenuwachtig. Hij had een van de kinderkamers moeten nemen. Misschien was de vrouw wel op weg voor haar dagelijkse tocht op de loopband.
Vinnie opende het raam en zwaaide naar Lucky Luca. Die keek verbaasd op toen hij Vinnie zag. Hij stak zijn duim omhoog. Vinnie schudde heftig met zijn armen. Nee, alles was niet oké. Lucky Luca lachte, dacht hij dat het een geintje was? Vinnie wees met zijn duim achter zijn rug en keek paniekerig naar beneden. Het gezicht van Lucky Luca plooide zich in een diepe frons, maar bewegen deed hij niet.
Vinnie hoorde geluid achter zich. De vrouw kwam zijn

richting uit. Snel deed hij het raam weer dicht. Hij moest zich verstoppen, maar waar? Achter de fitnesstoestellen viel hij meteen op.
De voetstappen verwijderden zich weer. Vinnie haalde opgelucht adem. Hij gokte dat ze andere kleren ging aandoen om te sporten. Lopen in een gouden jurk was niet zo gemakkelijk. Maar dat betekende ook dat hij nog steeds niet weg kon. Als hij nu de deur opendeed, zou ze dat horen. Hij probeerde na te denken, maar het was moeilijk. Deze situatie had hij nog niet meegemaakt.
De vrouw kwam uit haar slaapkamer. Vinnie ging achter de deur staan. Misschien merkte ze hem niet op en kon hij zo de kamer uit glippen. De klink ging naar beneden. Vinnie voelde het zweet in zijn handen, waarin hij nog steeds de dozen met juwelen hield. Hij hield zijn adem in.
De bel galmde luid door het huis. De klink ging weer omhoog. De vrouw liep de trap af naar de deur. Nu mocht Vinnie niet twijfelen. Hij opende de deur en liep naar de trap. Beneden zag hij de vrouw aan de deur staan en voor haar stond Lucky Luca, die met een identiteitsbewijs zwaaide.
'Dag mevrouw. Luc Janssens, politie. We krijgen klachten van mensen die net hun netwerkkabels hebben laten vervangen. Is dat bij u het geval?'
De vrouw was een beetje overdonderd door Lucky Luca's directe vraag. Ze knikte.
'Zou u dan eens willen kijken of er niets uit uw woonkamer verdwenen is?'

Ze twijfelde heel even.
'Wacht u hier even.'
'Natuurlijk, mevrouw.'
Half achteruit wandelde ze naar de woonkamer. Vinnie spurtte de trap af en wurmde zich langs Lucky Luca door het deurgat. Hij nam geen tijd om om te kijken en liep rechtstreeks naar de vrachtwagen. Hij kroop de cabine in en hijgde uit. Zo close was het nog nooit geweest.
Na een tijdje opende Lucky Luca het portier van de vrachtwagen en kroop hij achter het stuur. Hij stak het bewijs van lidmaatschap van de plaatselijke voetbalclub weer weg.
'Die mevrouw was opgelucht', zei hij met een glimlach. 'Er is volgens haar niets verdwenen.'

Madames woede duurde nog een hele dag. En vanaf dat moment beschouwde ze de hele heisa als opgelost. Op zondagavond werd ze weer de normale Madame. De moeder die er was voor haar kinderen, met wie ze konden lachen en die verhalen vertelde waar ze met plezier naar luisterden. Alsof ze het knopje 'streng' even had ingeschakeld en het daarna weer had uitgezet.
Alleen voor Eline werd niet alles weer normaal. Madame had er even over moeten nadenken, maar had uiteindelijk toch een geschikte straf gevonden.
'Huisarrest?' riep Eline voor de zoveelste keer. 'Dat kunt u niet menen!'
'Reken maar. Kijk eens hoe hard ik het meen!'
Madame zette een geconcentreerde blik op haar gezicht

en deed dat zo verkrampt dat Candice moeite had om haar lach in te houden. Ze kon net een luide proest onderdrukken, gelukkig maar, want Eline was nog steeds ziedend.
'En hoelang gaat dat huisarrest duren?' vroeg ze met tranen in haar ogen.
Madame haalde haar schouders op en liet zich in de zetel ploffen.
'Net zolang tot ik het genoeg vind.'
Eline greep zich bij de haren.
'En hoelang is dat dan?'
Madame nam ostentatief haar boek om aan te geven dat de discussie bijna afgelopen was. Ze bladerde tot aan de bladzijde waar ze gebleven was. Daarna richtte ze zich nog één keer op.
'Dat zou weleens heel lang kunnen duren.'
Verdere protesten van Eline werden afgewimpeld met een opgestoken hand. Candice sloeg het gade vanaf de eettafel waar ze zich tegelijk op haar huiswerk probeerde te concentreren. Door de onverwachte gebeurtenissen op het feestje en de dag erna was ze daar nog niet toe gekomen. Ze bewonderde de volharding van Eline, die zich niet zomaar neerlegde bij haar straf. En tegelijk had ze ook respect voor Madame, die zonder boe of bah haar been stijf hield.
Pas na een uur van onophoudelijk gezeur van Eline hief Madame haar hoofd op. Ze stak haar bladwijzer op de juiste plaats en klapte haar boek dicht. Zonder een blik op Eline te werpen, kwam ze overeind en liep ze naar

haar tas met golfstokken. Met de tas op haar rug bleef ze staan voor Candice.
'Ik ga nog wat golfen.'
Candice knikte. 'Veel plezier!'
Madame knikte naar Eline, die nog steeds boos aan het mompelen was. Wat ze zei was niet helemaal duidelijk.
'Zeg jij tegen die brompot daar dat ik weg ben en dat ze dus beter haar adem wat spaart? Morgen mag ze opnieuw een hele avond tegen mij zeuren.'
Candice kon het niet laten om deze keer toch te glimlachen.
'Ik zal proberen tot haar door te dringen.'
Madame wierp nog één blik op Eline en schudde dan het hoofd.
'Veel succes.'
Bijna onhoorbaar sloop Madame het huis uit. Haar passie voor golf was net nieuw. Sinds ze had gehoord van *urban golf* had ze zich meteen een set golfstokken aangeschaft. Urban golf kon je overal spelen en dat was wat Madame zo aantrok. Als je maar een stok had en een balletje, dan kon je dat balletje overal naartoe slaan. Madame speelde dan ook nooit naar holes, zoals de echte golfers. Ze hield er meer van om een punt uit te kiezen en daar het balletje heen te mikken. Precisiegranaten, noemde ze ze zelf. Meestal waren de mikpunten vrij onschuldig: een gat in een boom, een lantaarnpaal, het dak van een huis of een eilandje in een vijver. Maar Madame kon het ook niet laten om zichzelf af en toe uit te dagen. Zo had ze al een bol ijs van

iemands hoorntje gemikt, door een open raam een lichtschakelaar geviseerd – de bewoners dachten keer op keer dat hun elektriciteit was uitgevallen – en de bakker vol op zijn achterste geraakt terwijl die voorovergebogen zijn brood uit de oven haalde. Madames wraak omdat haar brood een keer niet vers was geweest. En dan waren er ongetwijfeld ook nog doelwitten waarover ze niets aan de meiden vertelde.

'Is Madame gaan golfen?'

Candice schrok op uit haar gedachten. Noor was naast haar aan tafel komen zitten en bestudeerde ongeinteresseerd Candice's schoolboeken.

'Ja, ze is net weg.'

'En was het nog leuk met die twee hier?'

Candice keek naar Eline, die moedeloos in de zetel lag. Ze zouden in elk geval allemaal wel twee keer nadenken voor ze nog eens een feestje organiseerden.

'Reuzeleuk. Ik weet niet wat ik het liefste doe: huiswerk maken of naar een ruzie luisteren. Gelukkig hoefde ik niet te kiezen.'

Noor knikte eerst afwezig en bromde bevestigend. Daarna keek ze Candice recht in haar ogen.

'Ik heb je hulp nodig', zei ze.

Candice keek fronsend op. Van haar andere zussen zou ze zo'n vraag verwachten, maar niet van Noor. Noor deed meestal dingen alleen, ze had nooit hulp nodig. Ze stond wel voor haar zussen klaar, maar omgekeerd hadden ze haar nog niet vaak hoeven te helpen. Behalve dan die keer dat ze tijdens haar gothicperiode met de

verkeerde mensen was beginnen optrekken. Dat geval telde ineens wel dubbel.
'Natuurlijk', zei Candice. 'Wat kan ik voor je doen?'
Noor schoof een stoel achteruit en ging erop zitten. Ze keek even naar Eline, maar die had geen aandacht voor wat er aan tafel gebeurde. Ze mompelde enkel wat verwensingen naar de televisie, die tijdelijk de rol van Madame als boosdoener had overgenomen. Toch dempte Noor haar stem.
'Je hebt mijn vrienden gezien, hé?'
Candice knikte. Ze kon zich eigenlijk nog maar één vriend echt herinneren. De verrukkelijke Kristof. Ze smolt al weg als ze nog maar aan hem dacht.
'Heb je op hun kleren gelet?'
Candice dacht even na. Cedric met zijn Boss- en Armanispullen, Margaux met het mooie dure jurkje, en ook de anderen hadden geen vodden aangehad.
'Die gaan niet in dezelfde winkels shoppen als wij', grinnikte Candice.
'Dat is mijn probleem', zei Noor. 'Het is een toffe groep en ik wil er graag bij blijven. Maar ik heb geen kleren die bij hen passen.'
'Dan ga je toch gewoon shoppen?' merkte Candice op. Voor Candice was het leven op dat gebied heel eenvoudig. Als je niets had om aan te doen, dan ging je iets kopen. En had je wel iets om aan te doen, dan ging je iets kopen als reserve, want je wist maar nooit wat er kon gebeuren.
'Ja tuurlijk', snoof Noor. 'Zie je me met mijn zakgeld al

een Pradawinkel binnenstappen? Ik kan daar nog geen haarspeld betalen.'
'Je hoeft toch niet superveel geld te betalen om chic te zijn?' vroeg Candice.
'En daarom kom ik naar jou', glimlachte Noor. 'Kun jij me helpen met een nieuwe outfit?'
Noor die uit zichzelf vroeg om te gaan shoppen? Zo'n aanbod kon Candice niet laten liggen. Maar ze wilde Noor eerst nog wat laten sudderen.
'Je vraagt me om je persoonlijke styliste te worden?'
'Zoiets, ja.'
'Hm.'
Candice deed alsof ze nadacht.
'Zijn het echt goede vrienden?'
'Ik denk het wel', knikte Noor. 'Maar ze zijn allemaal steenrijk. En ik wil ze niet afschrikken door wat ik aan heb. Ze keken vorige keer al wat raar toen ik dat jurkje aanhad.'
'Steek de schuld niet op het jurkje, hé', wierp Candice onmiddellijk tegen. 'Wel op degene die het droeg!'
Noor gaf haar een speelse tik op haar schouder.
'Bedankt, hoor. Jij kunt ervoor zorgen dat een meid zich goed voelt!'
'Graag gedaan.'
'En?'
'En wat?'
'Doe je het nu?'
Candice zette haar duim en wijsvinger op haar kin en keek Noor priemend aan.

'Ik doe het!'
'Geweldig!'
'Maar...'
Noors blik werd ongerust. Het hele kledinggedoe was duidelijk belangrijk voor haar.
'Maar?'
'Alleen als jij me aan Kristof voorstelt. En deze keer zonder dat ik een cola over zijn T-shirt hoef te morsen.'
Deze keer deed Noor alsof ze nadacht.
'Oké. Dan kom je maar eens mee naar een feestje.'
Candice leunde tevreden achterover.
'Feestjes en shoppen... Waarom heb je me dat nooit eerder voorgesteld?'

4 These boots are made for walking away

'Al mijn schoenen zijn weg!'
De kreet was ijselijk koud en galmde door het hele huis. Iemand die geen Nederlands verstond, had vast gedacht dat Eva achternagezeten werd door een gemaskerde man met een mes. Toen ze helemaal bleek en hijgend de keuken binnen kwam gelopen, leek dat ook even zo.
'Mijn schoenen', pufte ze. 'Allemaal... weg.'
En toen viel ze flauw.
Candice, Noor en Madame keken verbaasd naar Eva, die voor hen op de grond lag. Madame speelde eerst rustig het laatste stuk van haar boterham naar binnen voor ze opstond, naar de kraan wandelde en een glas water vulde. Daarna hield ze het boven Eva en draaide het om.
'Schoenen', kwam Eva met een ruk overeind.
Madame bukte zich en tilde Eva met één hand op, als een kat bij haar nekvel. Ze vulde een nieuw glas water, duwde Eva op een stoel en zette het glas aan haar mond.

'Vertel nu eens rustig wat er aan de hand is', gebood Madame nadat Eva het water gulzig had opgedronken. Haar bleke kleur was echter nog niet verdwenen.
'Mijn schoenen zijn weg!' riep Eva weer.
'Dat heb je al gezegd', bromde Madame. 'Wat bedoel je daarmee?'
'Dat mijn schoenen gestolen zijn! Heel mijn kast is leeg!'
Madame keek onmiddellijk naar Noor en Candice. Met haar blik vroeg ze of zij er iets mee te maken hadden. De zussen schudden heftig het hoofd. Wat moesten zij met Eva's schoenen? Bovendien durfden ze er niet eens aan te komen. De schoenenkast van Eva was even heilig als de graftombe van een Egyptische farao: wie ze opende, werd meteen vervloekt.
'Wie doet nu zoiets?' vroeg Eva met een trillende lip. De tranen stonden in haar ogen.
'Ik ga kijken', zei Madame kordaat. 'Iedereen blijft weg van Eva's kamer!'
Met grote passen stormde ze de kamer uit, vastbesloten het mysterie binnen de tien minuten op te lossen, zodat haar dochters zonder zorgen naar school konden vertrekken.
Candice stond op en legde haar hand op Eva's schouder. Ze had haar zus nog nooit zo radeloos gezien. Vriendjes dumpte ze met een vingerknip, maar afscheid nemen van haar schoenen kon ze niet.
'Hoe komt het dat je het nu pas hebt gezien?'
'Ik kijk niet elke dag in mijn dozen. En ik heb gisteren de hele dag op pantoffels rondgelopen. Na een nacht op

zulke hoge hakken hebben zelfs mijn hielen rust nodig.'
'Je hebt ze toch niet ergens anders laten liggen?'
'Alsof ik mijn schoenen zomaar in het rond laat slingeren!' zei Eva boos. 'En daarbij, een hele kast vol schoenen, die laat je niet ergens liggen.'
Daar had ze in elk geval gelijk in. Eva had genoeg schoenen om een badkuip te vullen. Die speelde je niet zomaar kwijt.
Eva sprong op van haar stoel. Ze stak haar wijsvinger in de lucht.
'Ze zijn gestolen, ik ben er zeker van!'
Candice moest haar best doen om niet te glimlachen. Wie stal er nu een berg schoenen? Het was vast Eline die erachter zat. Als stil protest tegen haar huisarrest.
'Wie zou zich daar nu mee bezighouden?' moeide Noor zich. 'Het is niet dat je schoenen van goud waren, hé?'
Eva wierp haar een giftige blik toe.
'Ik denk dat er veel mensen zijn die zo'n collectie zouden willen. Misschien ben jij het wel? Misschien heb je de schoenen nodig om te showen bij je nieuwe vriendjes!'
Noor zuchtte eens diep en besloot er niet op in te gaan. Candice zweeg ook. Alles wat ze nu zeiden zou in verkeerde aarde vallen. Eva was te overstuur.
'Ik bel de politie!'
Voor Candice haar kon tegenhouden, was ze al naar de woonkamer gelopen en had ze de telefoon genomen.
'Wat is hun nummer ook alweer?'
'Vaste telefoon of gsm?' lachte Noor.
Eva liet haar tanden zien, als een leeuwin die haar

jongen kwijt is. Ergens was dat ook een beetje zo.
'Heel grappig. Maar niet zo grappig als de telefoon die je zo meteen tegen je hoofd krijgt. Is het niet iets met drie cijfers? 101?'
Eva drukte de toetsen in en de telefoon ging over. Ze zette de speaker aan en legde de hoorn voor zich op tafel. Met haar beide handen hield ze het tafelblad stevig vast. Als ze kon, had ze het in twee stukken gebroken.
'Politie, hoe kan ik u helpen?'
'Mijn schoenen zijn gestolen!' schreeuwde Eva naar de hoorn.
'Excuseer?'
'Ze zijn weg. Ze zijn allemaal weg!'
'Met wie spreek ik, alstublieft?'
'Het is Eva. Kom zo snel mogelijk naar hier, misschien is de dief er nog!'
'Wat zegt u? Wordt er ingebroken?'
'Nee, er is al ingebroken. Mijn schoenen zijn gestolen.'
'Mevrouw, kunt u even uw naam zeggen?'
'Eva. Je schrijft het zoals je het hoort.'
'En wat is uw achter...'
'Denk je dat jullie de dief kunnen vinden?'
'De dief? Dus hij is er niet meer?'
'Dat denk ik niet, want mijn schoenen zijn er ook niet meer.'
'Dus er is geen dief?'
'Maar er was wel een dief', zei Eva langzaam en met de nadruk op elk woord. 'En die heeft mijn schoenen gestolen.'

Het bleef stil aan de andere kant. Candice hief haar wenkbrauwen op naar Noor. Ze begreep best dat de politievrouw niets begreep.
'Mevrouw, ik vrees toch dat u wat meer informatie zult moeten geven', zei een andere stem na een tijdje. De eerste had het opgegeven.
'Geen probleem', zei Eva, blij dat ze iemand anders aan de lijn had gekregen. 'Om te beginnen was er een paar van Fornarina. Rode open sandalen met een hak. Ze zijn niet zo duur als die van Manolo Blahnik, maar ze zitten even goddelijk, geloof me. En dan waren er geweldig leuke ballerina's, wit met blauwe bandjes. Daar kon je een hele dag op wandelen zonder blaren te krijgen.'
'Mevrouw?'
'Het ergste vind ik nog dat al mijn laarzen weg zijn. Een paar zwarte met punttip, een paar korte grijze, nog een paar zwarte met een ronde tip en dan waren er ook nog de appelblauwzeegroene. Die ga ik echt wel missen als ik nog eens naar een feestje ga, dus misschien moet je die maar boven aan het lijstje zetten.'
'Mevrouw, bent u een grapje aan het maken?'
Eva keek geschokt naar de telefoon. Dat ze dat zouden durven te denken!
'Zie ik eruit als iemand die een grapje maakt over schoenen?'
'Dat weet ik niet, mevrouw, we zijn namelijk aan het bellen en ondanks alle wonderbaarlijke technologie kunnen we elkaar nog niet zien door een telefoon.'
Nu werd Eva pas echt boos.

'Zijn jullie met me aan het lachen?'
'Natuurlijk niet, mevrouw. Net zomin als u dat met ons doet.'
Ondertussen kwam Madame opnieuw de keuken binnen. Haar gezicht stond zorgelijk en dat beterde niet toen ze Eva bezig zag.
'Met wie is ze aan het bellen?' vroeg ze aan Candice.
'Met de politie. Maar haar boodschap komt niet echt over.'
'Heeft ze haar naam gezegd?'
'Alleen haar voornaam.'
'Hm, maar ze weten natuurlijk welk nummer heeft gebeld', mompelde Madame.
Ze liep naar de tafel en drukte de telefoon uit.
'Hé, wat doet u nu? Zo krijg ik mijn schoenen nooit terug!'
'Dat is best mogelijk', bevestigde Madame.
Eva zette grote ogen op. Tot dan had ze stiekem gehoopt dat het allemaal snel opgelost zou geraken. Maar de meiden wisten goed genoeg dat Madame nooit overdreef. Als ze geloofde dat iets mogelijk was, dan was de kans groot dat het zo zou zijn.
'Wat heeft u dan gevonden?' vroeg Candice.
'Rare dingen', bleef Madame vaag. 'Ik leg het jullie later wel uit.'
Ze staarde even voor zich uit en liep dan de keuken uit. Terwijl ze wandelde, haalde ze haar gsm al uit haar zak, klaar om iemand op de hoogte te brengen van wat ze had gezien.

‘Ben ik nu alleen of vonden jullie dat ook raar?’ vroeg Candice.
‘Bedoel je Madame of deze hele ochtend?’ pikte Noor erop in.
‘Allebei eigenlijk, maar vooral Madame. Ze doet plots zo vreemd.’
‘Volgens mij heeft ze er zelf iets mee te maken’, bromde Eva. ‘Ik denk dat ze mij wil straffen.’
‘Waarom zou ze dat doen?’ vroeg Noor.
‘Weet ik veel. Misschien omdat mijn schoenen mooier zijn dan de hare.’
Eva was niet meer in staat om rationeel te denken. Vanaf nu zou ze overal complotten zien. Candice wist zeker dat ze op school een hele dag alleen maar naar beneden zou kijken, op zoek naar iemand die haar schoenen droeg. Ze beklaagde nu al het meisje dat toevallig ooit dezelfde schoenen had gekocht. Eva zou woest boven op haar springen en haar beschuldigen van diefstal.
‘Wat is er aan de hand?’ klonk het plots vanuit de deuropening. ‘Waarom zijn jullie nog niet naar school?’
Eline kwam in haar pyjama de keuken in en wreef de slaap uit haar ogen.
‘Waarom ben jij nog niet aangekleed?’ pareerde Candice onmiddellijk. Eline was normaal de eerste om zich klaar te maken voor school. Ze was in haar hele leven nog geen enkele keer te laat geweest.
‘Ik mag niet naar school’, legde Eline uit. ‘Ik heb namelijk huisarrest.’
‘Ik denk niet dat dat geldt voor school’, opperde Noor

voorzichtig.
Eline ging aan de tafel zitten, nam een boterham en stopte die in één keer in haar mond.
'Maakt mij niet uit. Ik heb huisarrest, dus ik kom het huis niet uit. Als ik niet buiten mag, kan ik ook niet naar school.'
Candice vond het rebelse karakter van Eline wel leuk. Over het algemeen was ze de braafste van hen vier, maar dat hield op wanneer je op haar tenen trapte.
Eva zette zich op haar knieën en bestudeerde Elines voeten.
'Waar heb je die pantoffels vandaan?' vroeg ze argwanend.
'Weet ik veel', bromde Eline met volle mond. Kleine stukjes boterham verspreidden zich over de tafel. 'Ik heb ze allang.'
'Zijn dat mijn pantoffels niet?'
Eline rolde met haar ogen.
'Jouw pantoffels zijn zacht, rood en oranje en er staat een grote bloem op. Deze zijn hard en grijs.'
'Hm', knikte Eva niet overtuigd.
'En bovendien heb jij je pantoffels zelf aan.'
Eva wierp een blik op haar pantoffels, het enige restant van haar collectie.
'O. Ja.'
Daarna verliet ze teleurgesteld de keuken.
'Wat is er met haar?' vroeg Eline terwijl ze een tweede boterham in haar mond propte.
'Haar schoenen zijn gestolen', legde Noor uit.

‘Hier in huis?’ schrok Eline en ze begon te hoesten van een stuk boterham dat in haar keel bleef steken. Noor knikte terwijl ze op Elines rug klopte.
‘En zijn ze allemaal weg?’
‘Heel haar kast is leeg’, zei Candice.
‘Nou’, kuchte Eline. ‘Dan moet die dief een hele vrachtwagen bij zich hebben gehad.’
Snelle stappen klonken door de woonkamer en niet veel later stak Madame haar hoofd door de keukendeur.
‘Meiden, het wordt dringend tijd dat jullie vertrekken. Ik wil jullie binnen de minuut het huis uit!’
Candice en Noor knikten gedwee, maar Eline bleef rustig zitten.
‘Eline, waarom ben jij nog niet klaar?’
‘Omdat ik huisarrest heb’, zei Eline zonder zich om te draaien.
Madame zei niets. Ze schatte de situatie in en besloot dat het beter was om de discussie niet aan te gaan. Dat zou te veel tijdverlies opleveren.
‘Candice, neem jij Elines boekentas mee?’
Candice twijfelde even. Moest ze haar zus steunen in haar protest of kon ze er maar beter voor zorgen dat ze Madame niet boos maakte? Eén voor allen, allen voor één, het was een mooi motto, maar af en toe waren er uitzonderingen. Zoals nu. Madame won toch, dus kon Candice evengoed het aantal slachtoffers beperken.
‘Oké. En Eline dan?’
‘Daar zorg ik persoonlijk voor’, grijnsde Madame.
Ze stapte naar Eline en tilde haar van haar stoel. Ze

negeerde Elines gegil en gespartel en knipoogde naar de andere meiden.
'Hoe noemen jullie dat ook alweer? Een pyjamafuif? Wel, dit wordt Elines allereerste pyjamaschooldag!'

5 What's going on?

De bel bracht eindelijk leven in huis. Daarvoor was het nogal stil geweest. Eline zat te mokken omdat ze huisarrest had en omdat ze op school twee uur lang in haar pyjama had rondgelopen. Candice had Elines kleren in haar boekentas gestopt om haar te helpen, maar Eline had die pas na een tijdje gezien. Al die tijd liep ze voor gek in haar pyjama. Ze had haar klasgenoten dan maar wijsgemaakt dat het de nieuwe mode was. Op de catwalks in Milaan en Rome liepen alle modellen in hun pyjama rond. Vreemd genoeg hadden haar klasgenoten die uitleg geslikt. Toen Eline haar kleren weer had aangedaan, had ze smalend gezegd dat de mensen in dit land er duidelijk nog niet klaar voor waren.
Ook uit Eva kwam geen woord. Sinds haar schoenen gestolen waren, vertrouwde ze niemand meer. Ze keek de hele tijd spiedend om zich heen, ervan overtuigd dat de dader iemand van hen was. In haar kamer brandden

er voortdurend wierookstokjes ter herdenking van haar schoenen.
Ook Candice en Noor durfden nauwelijks iets te zeggen. Ze zouden toch alleen maar een snauw terugkrijgen. En dus zat iedereen in zichzelf gekeerd voor zich uit te staren.
Behalve Madame. Die zat voortdurend aan de telefoon, maar steeds afgescheiden van de meisjes. Ze mochten niet horen wat ze te zeggen had. Dat maakte Eline nog bozer en Eva nog wantrouwiger, en de sfeer nog slechter.
Omdat niemand bewoog bij het horen van de bel, stond Candice zelf maar op en liep naar de deur. Het was een mooie jongen, met bruin haar en een stralende glimlach. Hij droeg een fleurig hemd, waarvan het bovenste knoopje los was, zodat zijn hals beter werd geaccentueerd. Sander.
'Hoi', zei hij vrolijk.
Candice keek achter zich om te kijken of Madame niet in de buurt was.
'Hoi', zei ze zacht. 'Je weet toch dat Eline huisarrest heeft?'
'Natuurlijk', antwoordde Sander. 'Maar ik doe toch niets verkeerds? Als Eline moet thuisblijven, kom ik gewoon naar haar toe.'
Sander was het vriendje van Eline. Ze had hem leren kennen toen ze nog zong bij de televisieshow *Zingen met Giovanni*. Zij was zangeres geweest en hij de redacteur. Hoewel hun eerste kennismaking wat stroef was

geweest, waren ze daarna toch naar elkaar toe gegroeid.
Candice moest even nadenken. Ze vermoedde dat Madame het niet goed zou vinden dat Sander hier was, maar in theorie overtraden Eline en Sander de regels niet. Ze liet hem binnen.
Elines ogen klaarden helemaal op toen ze zag wie de bezoeker was. Ze sprong uit de zetel en stormde op Sander af.
Maar ze bereikte hem niet. Net niet.
Waar ze vandaan kwam, was niet helemaal duidelijk, maar plots stond Madame midden in de woonkamer. Ze hield Eline vast bij haar kraag, waardoor die als een tekenfilmfiguur ter plaatse bleef rennen. Candice fantaseerde er de geluidjes zelf bij.
'Hola,' zei Madame met de glimlach, 'wat zijn we van plan?'
Eline bleef worstelen, maar Madame loste haar greep niet. Sander stond er wat hulpeloos bij.
'Ik ga het huis toch niet uit?' tierde Eline. 'Wat is dan het probleem?'
'Hm', bromde Madame. 'Ik vrees dat ik niet zo duidelijk ben geweest. Huisarrest betekent niet weggaan, maar ook niemand ontvangen. Voor je het weet, ben je hier weer feestjes aan het geven!'
Ze glimlachte lief maar dwingend naar Sander.
'Sorry, Sander, maar je zult een andere keer moeten terugkomen.'
Eline stootte intussen een grommend geluid uit en Madame moest nu haar twee handen gebruiken om haar

tegen te houden. Sander aarzelde even, maar besloot dan te gehoorzamen en draaide zich om.
'Mag ik op zijn minst afscheid nemen?' vroeg Eline wanhopig. 'U zegt toch altijd dat we beleefd moeten zijn?'
Dat argument kon Madame wel appreciëren. Ze spoorde haar dochters tenslotte altijd aan om creatief te denken. Ze liet Eline los. Die schoot naar voren en viel om Sanders nek.
'Je krijgt exact één minuut', zei Madame. 'Elke seconde langer betekent een dag langer huisarrest.'
'Maar ik weet niet eens hoelang mijn huisarrest duurt', protesteerde Eline.
'Reden te meer om geen risico's te nemen. Je minuut is trouwens al bezig. Daarna kom je naar de zolder.'
Madame draaide zich om en richtte zich tot de andere meiden, die het tafereel met een glimlach hadden gadegeslagen.
'En dat geldt ook voor jullie.'

De meiden hadden elke zondag een bijeenkomst op de zolder. Madame gaf hen dan les in dingen die ze op school niet leerden. Dat kon gaan van hoe ze hun nagels moesten lakken tot hoe ze op hun eentje moesten overleven in de natuur.
Soms gaf ze hen ook een opdracht. Dan moesten ze te weten komen of de postbode wel alle post rondbracht en niets weggooide. Maar evengoed hielpen ze Madame een gevaarlijke oplichter op heterdaad te betrappen. Hoe

ouder ze werden, hoe spannender de opdrachten werden. En soms ook wel gevaarlijker.
Het feit dat Madame hen op maandag samenriep, beloofde niet veel goeds. Het betekende dat er iets heel dringend was. Of heel belangrijk.
'Meiden, niet schrikken, maar wat ik nu ga zeggen is heel belangrijk', viel ze meteen met de deur in huis.
'Natuurlijk is het belangrijk. Mijn schoenen zijn weg!' vulde Eva het nieuws meteen zelf in.
'Het heeft ermee te maken.'
Candice ging wat rechter op haar stoel zitten. Had het echt iets met de schoenen te maken? Het leek haar zo stom.
'Er is een dievenbende aan het werk.'
'Aha!' sprong Eva recht, alsof ze persoonlijk het mysterie had opgelost. 'Ik wist het!'
'Natuurlijk wist je dat', zei Noor. 'Als iets wordt gestolen, is dat wel vaker door een dief.'
'Maar ik wist het toch', sprak Eva met een opgestoken kin naar Noor en ze ging weer zitten.
'Misschien is het beter dat ik de uitleg doe', zei Madame. 'De bende is behoorlijk professioneel. Ze laten geen sporen na, ze zijn heel snel binnen en buiten en ze nemen nooit meer dan nodig.'
Eva kon het niet laten om toch weer te reageren. Ze voelde zich persoonlijk te betrokken bij de zaak.
'Dat klopt. Ze hebben hier alleen mijn schoenen meegenomen, maar die van jullie niet. Net wat ze nodig hadden. Het zijn echt wel slimme dieven. En met een

goede smaak ook.'
Madame negeerde Eva zo veel mogelijk en ging verder met haar uitleg.
'De dieven hebben goed nagedacht over hun job, want ze kiezen alleen maar rijke doelwitten uit. Grote villa's hebben het meeste kans om hen op bezoek te krijgen.'
Candice ontdekte meteen een fout in Madames uitleg. Ofwel had ze zich vergist, ofwel had ze ergens een fortuin waar de meiden niets vanaf wisten.
'Maar u zei dat de schoenen van Eva er iets mee te maken hebben?'
'Dat klopt', knikte Madame.
'Wij zijn toch niet rijk? Wat zouden dieven hier komen zoeken?'
Eva stootte haar aan met haar elleboog.
'Mijn schoenen natuurlijk. Heb je niet goed opgelet?'
'Natuurlijk wel', glimlachte Candice. 'Maar tenzij er aan die witte voetjes van jou Gucci's of Prada's hangen, denk ik niet dat ze veel geld voor jouw schoenenkast zullen krijgen.'
Madame stond peinzend naar hen te kijken, haar armen gekruist.
'Dat heb ik me ook af zitten vragen. Waarom zouden ze die schoenen stelen?'
'Bent u er zeker van dat het dezelfde bende is?' vroeg Eline. Ze was even vergeten dat ze eigenlijk moest mokken en niets zeggen. Maar nu het verhaal wat spannender werd, was ze weer aandachtig.
'Vrij zeker. Er werd dezelfde werkwijze gebruikt. Geen

sporen van inbraak, niet te veel meegenomen en vooral dit.'
Madame hield een doorschijnend zakje met een pluisje in de lucht. De meiden moesten hun ogen samenknijpen om te kunnen zien wat het was. Het zag eruit als een fijn blauw draadje.
'De dieven houden van breien?' opperde Noor.
'Ze laten het achter zodat de slachtoffers toch de eindjes aan elkaar kunnen knopen?' probeerde Candice.
'Heel grappig, meiden', forceerde Madame een glimlach. 'Dit is het enige dat de dieven niet met opzet achterlaten. Of misschien net wel. Het moet nog worden onderzocht, maar ik gok dat het afkomstig is van een trui van een duur merk.'
'Dus de dieven zijn rijk?' vroeg Eva.
'Waarom zouden ze dan stelen?' counterde Candice meteen.
'Weet ik veel', haalde Eva haar schouders op. 'Misschien geven ze het aan de armen, zoals Robin Hood.'
Candice hief haar wenkbrauwen. Eva's gedachtegang werd steeds vreemder. Ze stak het op het gemis van haar schoenen. Eline was nog wel bij de pinken.
'Misschien doen de dieven gewoon truien aan die ze eerder gestolen hebben. Om eventuele speurders op het verkeerde been te zetten.'
'Dat zou best kunnen', beaamde Madame. 'Goed denkwerk.'
'Krijg ik dan minder huisarrest?' vroeg Eline poeslief.
'Nee', grijnsde Madame. 'Maar je krijgt wel een dag

meer. Omdat je erom gevraagd hebt.'
Eline legde haar hoofd achterover. Ze deed zelfs de moeite niet meer om te protesteren.
'Dus de dieven bestelen rijke mensen, zijn heel goed en dragen dure truien', somde Candice op. 'Tja, ver komen we daar niet mee.'
'Zeer juist', zei Madame. 'En daarom zullen we in actie moeten komen.'
Ze legde de draad in Eva's hand.
'Eva, kun jij de draad van de trui onderzoeken?'
Elk van de Mystery Girls had haar eigen specialiteit. Omdat Eva pas later bij het gezin was gekomen, had ze de hare zelf mogen kiezen. Eerst wilde ze graag met dieren werken, maar dat was geen goed idee geweest. Madame was gek geworden van de vreemdste dieren die ze in huis had gehaald. Daarna had Eva zich op de wetenschap gestort en dat was wel een voltreffer. Eva bouwde haar kamer regelmatig om tot een privélaboratorium met grote en kleine buizen, erlenmeyers, gasbranders, bokalen en vloeistoffen in alle kleuren. Madame moedigde haar experimenteerlust aan, ook al kwam het af en toe tot een kleine ontploffing.
Eva nam de draad enthousiast aan. Ze hield hem in haar hand en keek ernaar alsof het de dief van haar schoenen zelf was.
'Wij gaan een ritje maken in de stoommachine', grijnsde ze gemeen.
Candice wist dat Eva een machine had nagebouwd die ook in professionele laboratoria werd gebruikt. Die

zorgde ervoor dat stoffen werden verpulverd om zo de samenstelling te weten te komen. Eva was al enkele keren puffend uit haar rokende kamer gekomen wanneer er iets was misgegaan. Maar ze gaf niet op.
'We gaan echter niet wachten op de resultaten van de test op de draad', zei Madame.
Ze gaf iedereen een blad, waarop allemaal namen en straten stonden.
'Dit is een lijst van welgestelde mensen uit de buurt. In deze huizen is nog niet ingebroken. Het is de bedoeling dat we die in het oog houden.'
'Allemaal?' schrok Candice. 'Dat zijn er veel te veel!'
'Je hoeft er niet constant naar te kijken. Rij er gewoon af en toe eens langs, probeer misschien eens in contact te komen met die mensen.'
'We geraken toch nooit voorbij hun poorten en hun alarmsystemen', bromde Eline.
'Met die houding zeker niet', wees Madame haar terecht.
'Ik ken er een deel van!' riep Noor enthousiast. 'De ouders van Margaux staan hierbij. En die van Cedric. En nog een paar.'
Madame keek haar verbaasd aan.
'Sinds wanneer heb jij zulke welgestelde vrienden?'
Noor keek glimlachend op.
'Eigenlijk sinds het feestje van Eline. Zonder dat feestje had ik hen misschien niet gekend!'
Eline keek haar dankbaar aan, blij dat eindelijk iemand iets positiefs van het feestje benadrukte. Zelfs Madame was onder de indruk.

'Echt?'
'Absoluut', bevestigde Noor overdreven. Met een beetje geluk kon ze op die manier wat van de straf van Eline afdoen. Maar Madame hield niet zo van geluk.
'Goed werk. Dus Noor kan enkele huizen van binnenuit zien. Let op verdachte figuren die er rondhangen. Ook bij het personeel. Vaak komt het gevaar van mensen die je goed kent.'
'Ik vrees dat ik dan wel wat extra zakgeld zal moeten krijgen om te gaan shoppen', probeerde Noor. 'Anders mag ik er misschien niet binnen.'
Zo gemakkelijk was Madame echter niet te overtuigen. 'Dan verzin je maar iets anders. Gebruik ook het internet. Kijk de kranten na, de politiearchieven. Wie heeft er onlangs inbrekers over de vloer gekregen? Wat is er gestolen? Misschien zijn er veilingen waar we kunnen gaan kijken. Als er spullen worden doorverkocht is het misschien daar. We mogen geen spoor onbenut laten.'
Noor wist alles af van computers, dat was haar specialiteit. Madame had haar sinds ze klein was altijd een spelconsole in de hand gestopt in plaats van barbiepoppen. Noor had er eerst spelletjes mee gespeeld, maar zodra ze wat ouder werd, was ze met de console zelf beginnen te spelen. Ze draaide alles uit elkaar en weer in elkaar, bestudeerde de mechanismen, verbond systemen die normaal niet verbonden werden. Toen ze haar eigen prototype van een tablet had uitgevonden, lang voor er sprake was van de iPad, wist Madame dat ze nog weinig kennis kon toevoegen.

'Ook de anderen letten uiteraard op', ging Madame verder. 'Als iemand zich vreemd gedraagt of plots meer geld uitgeeft dan gewoonlijk...'
'Of mijn schoenen draagt', wierp Eva ertussen.
'Dan melden jullie dat aan mij', besloot Madame.
De meiden knikten en stonden recht. Ze probeerden te bedenken op welke manier ze het best aan hun opdracht konden beginnen.
'Hola, wacht even', riep Madame. 'Ik ben nog niet klaar. Jullie krijgen ook nog een concrete taak mee.'
Candice ging weer zitten. Nu ze Madames geconcentreerde gezicht bestudeerde, wist ze dat dit geen toevallige opdracht was. Madame was hier al een tijd mee bezig, maar het was pas nu de schoenen van Eva gestolen waren dat ze de meiden erbij betrok.
'Moeten we inbreken in een schoenenwinkel om te ontdekken hoe de dieven te werk gaan?' vroeg Eva hoopvol.
Madame schudde haar hoofd.
'Jullie gaan een observatie doen', legde ze uit. 'Ik heb een tip gekregen dat er volgende week maandag een deal plaatsvindt aan een filiaal van McDonald's.'
Madame werkte nog regelmatig samen met mensen van de politie. Vrienden van vroeger, toen ze nog gevaarlijke operaties deed. Ze deed het puur voor haar plezier, want eigenlijk was ze al op een soort heel vervroegd pensioen. Ze speelde informatie door naar haar vrienden en omgekeerd. En af en toe betrok ze de meiden erbij.
'Wat moeten we ontdekken?' vroeg Noor. 'Wie gaan we

daar zien?'
'Geen idee', antwoordde Madame. 'Ik weet alleen dat er iets gaat gebeuren. Het is een heel verre gok, want de politie gaat de tip niet onderzoeken. Ze vinden de bron niet betrouwbaar, maar ik wel. Mogelijk zullen we dan wat wijzer worden over de diefstallen.'
'En hoe laat is die deal?' vroeg Candice.
'Om acht uur.'
''s Avonds?'
''s Morgens.'
'Ik kan niet mee', zei Eline met een glimlach. 'Ik heb huisarrest.'
Madame had dat argument al van ver zien aankomen.
'Je krijgt de toestemming om mee te gaan. Is dat niet fijn?'
Elines glimlach verdween en veranderde weer in de mopperende blik die ze de voorbije dagen standaard had gebruikt.
Candice dacht na over het uur. Als ze om acht uur aan McDonald's moesten zijn, was de kans klein dat ze om halfnegen op de schoolbanken zaten. En vond Madame school niet het allerbelangrijkste?
'Zullen we dan niet te laat zijn op school?' vroeg ze hardop. 'We hebben een briefje nodig.'
Madame stak onmiddellijk haar hand op.
'Geen briefjes, jullie zijn niet ziek.'
'Maar dan krijgen we straf', zei Eva verontwaardigd.
'Daar redden jullie je wel uit', glimlachte Madame. 'Ik heb jullie genoeg trucjes geleerd!'

6 Lifestyles of the rich and the famous

'Pink omhoog', beval Madame.
Candice nam haar glas op en dwong zichzelf om haar pink naar buiten te steken. Ze concentreerde zich zo hard dat haar glas begon te trillen.
'Je hoeft het glas niet in twee stukken te breken', lachte Madame. 'Dat zou zonde zijn van het lekkere drankje dat je geserveerd krijgt.'
Het was middernacht en Candice was alleen met Madame op zolder. De meisjes kregen soms apart een les, vooral om hun specialiteit te oefenen. Candice was gespecialiseerd in vermommingen. Ze deed als kind niets liever dan zich te verkleden en andere mensen na te doen. Dankzij Madame leerde ze ook op de juiste dingen te letten. Ze zorgde ervoor dat elk detail klopte, waardoor een vermomming compleet werd. Een vermomming hoefde niet altijd een volledige verkleedpartij te zijn. Het kon ook betekenen dat je je

volledig inleefde in de mensen met wie je contact zocht. Op die manier kon je beter infiltreren en waardevolle informatie vergaren.
En dat waren ze nu aan het doen. Candice had Madame verteld over het feestje waar ze met Noor naartoe ging. Een feestje in het huis van Margaux, een van Noors nieuwe vriendinnen. Madame vond het geweldig dat Candice haar taak zo serieus nam en meteen de rijke mensen ging bespioneren. Ze moest eens weten dat Candice eigenlijk gewoon indruk wilde maken op Kristof.
'Tuit je lippen', zei Madame, terwijl Candice het glas naar haar mond bracht. 'En nu drinken. Kleine slokjes, niet te gulzig.'
Candice liet het water dat in het glas zat door haar mond glijden, maar slikte te snel, waardoor het in het verkeerde keelgat terechtkwam. Ze hoestte en proestte het water eruit. Recht over Madame. Die nam geduldig haar zakdoek en veegde het water weg.
'Zo ga je wel opvallen natuurlijk.'
'Sorry.'
'Niet erg. De rest was goed. Nu je drank nog binnenhouden en je bent er.'
Candice wreef in haar ogen. Ze was moe. Ze had eigenlijk naar bed willen gaan, toen Madame zei dat ze wel even tijd had voor een les. Candice had geen andere keuze gehad dan in te stemmen, want het feestje was al de volgende dag.
Ze hadden al geoefend op een kaarsrechte houding, op

manieren om jezelf zo te schminken dat het niet opzichtig was maar wel duidelijk duur, op fake lachen met slechte moppen en op etiquette bij een diner.
'Is het een groot huis waar je naartoe gaat?' vroeg Madame.
'Ik denk het wel', glunderde Candice. 'Noor zei dat het een klein kasteel was. Of zelfs een groot kasteel.'
'Dat mag je dus niet doen', wees Madame naar het gezicht van Candice.
'Wat?'
'Die sprankeling in je ogen. De gedachte dat je uitgenodigd bent op een plek waar je normaal niet komt.'
'Waarom niet?'
'Omdat rijke mensen dat normaal vinden.'
'Maar ik ben niet rijk. Ik vind dat niet normaal.'
'Dat doet er niet toe. Je mag niet onder de indruk zijn van materiële dingen. Ook al heb je het zelf niet, je moet doen alsof het de normaalste zaak van de wereld is dat ze een deur van goud hebben en een serie tuinkabouters die gespeeld wordt door levende mensen.'
'Ik denk nu niet dat ze...'
'Bij wijze van spreken, Candice', onderbrak Madame haar. 'Vanaf nu vind je alles normaal. Of het nu om een landingsplaats voor een privéhelikopter gaat of een eigen bioscoopzaal.'
Candice wist niet of ze het zou kunnen. Ze knikte voorzichtig.
'Laten we nog even oefenen en dan zullen we stoppen.

Als dit je lukt, krijg je van mij je eigen paard.'
Candice schrok en haar ogen werden groot. Een eigen paard? De anderen zouden zo jaloers zijn.
'Echt?'
'Natuurlijk niet', schudde Madame het hoofd. 'Dat was al een deel van de oefening. Voor rijke mensen is een eigen paard niet speciaal, ze zullen er dus nooit zo enthousiast over doen als jij nu.'
Candice kon zich wel voor het hoofd slaan. Ze was er met open ogen ingetrapt. Ze moest zich concentreren, ondanks de vermoeidheid.
'Weet je trouwens nog dat ik vorige week zo weinig thuis was?' vroeg Madame.
Candice knikte. Dat was de reden waarom Eline had besloten om een feestje te geven. Madame zou lang genoeg wegblijven.
'Wel, ik heb een huis in het zuiden van Frankrijk gekocht.'
Eindelijk! Daar hadden de meisjes al vaak om gevraagd. Ze wisten dat Madame dat graag wilde en ze stelden zichzelf allemaal al een hele zomer aan het zwembad voor. Candice wilde iets roepen, maar bedacht zich net op tijd. Dit hoorde bij de oefening. Of niet? Ze probeerde haar gezicht in de plooi te houden.
'Fijn voor u', zei Candice. 'Ik vind persoonlijk het zuiden van Frankrijk wat te koud. Daarom heb ik besloten me een villa in Australië aan te schaffen.'
Madame dacht na.
'Jammer, dan moet ik het misschien toch niet doen.'

'Nee!' flapte Candice eruit. 'U moet het wel doen.'
Madame lachte en Candice liet zich achterovervallen. Nu was ze er weer in getrapt.
'Op dit deel zal je toch nog wat moeten oefenen', zei Madame. 'Stel je deze nacht maar allerlei dingen voor die je graag zou hebben. En als je morgen op het feest komt, dan beeld je je in dat je al die dingen ook echt hebt. Dan ga je van niets meer versteld staan.'
Candice kwam weer overeind en stapte naar het zoldergat. Ze wilde vooral zo snel mogelijk in haar bed liggen.
'Tenzij ze echt levende tuinkabouters hebben natuurlijk', mompelde Madame nog.

Candice' ogen glommen toen ze door de grote deur de nog grotere inkomhal binnenstapte. Ze voelde zich plots heel klein, zeker wanneer ze boven zich de reusachtige kristallen luchter opmerkte. Ze hoopte maar dat die goed was vastgemaakt.
Ze kneep even in de arm van Noor om er zeker van te zijn dat het geen droom was. Noor slaakte een zachte kreet. Het was levensecht. Ergens had ze dat kunnen weten, want als het een droom was geweest, had ze hier waarschijnlijk in haar blootje gestaan.
Candice trok haar rok en haar bloesje recht en hief haar hoofd op. Ze mocht vooral niet laten merken dat ze onder de indruk was. Gewoon doen alsof ze al jaren in zulke huizen kwam. Ze had de hele nacht nagedacht over alles wat ze zelf zou willen. Ze had in kastelen

gewoond, haar eigen shoppingcenter gehad en geld genoeg om alle winkels leeg te kopen. En toch bleef het moeilijk om dit grote huis niet indrukwekkend te vinden. Al had ze nog geen levende tuinkabouter gezien.
De butler die had opengedaan, begeleidde hen naar de woonkamer waar Margaux hen ongeduldig stond op te wachten. Zelf de deur opendoen was blijkbaar niet bij haar opgekomen.
'Dat duurde nogal', zei ze verwijtend tegen de butler, die achteruitlopend en lichtjes buigend verdween. Candice gaf hem nog een vriendelijke knik mee om hem te bedanken voor zijn hulp.
'Ach, goed personeel is zo moeilijk te vinden!' zei Margaux. 'Maar ik ben blij dat jullie er zijn.'
Ze omhelsde Noor en gaf haar drie kussen. Nu ja, kussen... Noor en Margaux zorgden ervoor dat hun wangen elkaar niet raakten. Schrik om elkaars make-up uit te vegen? Of was luchtkussen hier de gewoonte? Over begroetingen had Madame het niet gehad in haar les.
Toen Margaux bij haar net hetzelfde deed, besloot Candice dat rijke mensen elkaar waarschijnlijk geen bacteriën wilden doorgeven.
'De anderen zijn hier al', zei Margaux. 'Ze zitten aan het zwembad.'
Terwijl Margaux zich omdraaide, keek Candice verwijtend naar Noor. Een zwembad? Waarom had ze daar niets van gezegd? Ze hadden helemaal geen bikini bij! Noor haalde haar schouders op om duidelijk te maken dat ze dat ook niet had geweten.

Margaux leidde hen naar de tuin. Park was eigenlijk een betere omschrijving. Een uitgestrekte groene vlakte verwelkomde hen, met beelden, vijvers en bruggetjes. Naast het terras, dat de grootte had van een speelplaats, lag het zwembad. Noors vrienden zaten aan de rand van het water, op verfijnde houten stoelen onder een grote witte parasol. De tafel was gevuld met glazen champagne.
'Ook een glaasje?' vroeg Margaux.
Dat lieten Candice en Noor zich geen twee keer vragen. Ze knikten driftig. Margaux nam een kleine koebel en schudde ermee. Enkele seconden later kwam de butler het terras op gelopen.
'Onze nieuwe gasten willen ook een glas champagne', wees Margaux naar de fles die ongeveer twintig centimeter voor haar neus stond, wat blijkbaar te ver was om er zelf bij te kunnen. De butler knikte beleefd, vulde twee glazen en ging daarna nog eens rond bij de andere gasten.
'Iedereen, dit is Candice', stelde Margaux haar voor aan haar gasten. 'Candice is de zus van Noor.'
De aanwezigen hieven hun glas en knikten vriendelijk naar Candice. Ze keek rond. De meesten herkende ze van op Elines feestje. Bij één jongen bleef ze hangen. Kristof. Hij glimlachte haar automatisch toe, alsof hij haar voor de eerste keer zag. Candice besefte dat haar blik te lang op hem was gevestigd en keek snel verder. Nathalie, de zus van Kristof, was er en ook Cedric. Die schonk haar wel een gemeende glimlach. En het meisje

met de blonde vlechtjes meende ze te herkennen als Charlotte.
‘Hoe is het water?’ vroeg Candice, bij wijze van introductie.
‘We hebben nog niet gezwommen’, zei Margaux. ‘Veel te vermoeiend.’
‘Ik ken het gevoel’, lachte Candice. ‘Een zwembad geeft zo’n dubbel gevoel.’
Margaux haalde haar schouders op en rinkelde opnieuw met haar bel.
‘Maar het hoort erbij. Wie heeft er nu geen zwembad?’
Candice was blij dat op dat moment de butler er opnieuw aan kwam gespurt en ze niet hoefde te antwoorden.
‘Mevrouw?’ vroeg de butler.
‘We hebben zin in een spelletje’, zuchtte Margaux. ‘We vervelen ons.’
‘Wilt u niet gaan zwemmen?’ vroeg de butler.
Margaux rolde met haar ogen.
‘Dat zeg je elke keer. Iets anders!’
De butler dacht na. Kleine zweetdruppeltjes parelden op zijn voorhoofd. Alsof hij ze voelde prikken, nam hij een kanten zakdoek uit zijn borstzakje en veegde het zweet weg. Ondertussen rinkelde Margaux nog een keer met haar bel om hem tot spoed aan te manen.
‘Hebben jullie al aan een partijtje bridge gedacht?’
‘Te ingewikkeld.’
‘Misschien een spelletje schaak?’
‘Te saai.’

De butler depte steeds meer zweet van zijn gezicht. Het ongeduld van zijn bazin werd groter.
'Verstoppertje?'
Candice zag zijn ontslagbrief al klaarliggen. Margaux zou hem zonder pardon omruilen voor een andere butler, een die betere spelletjes kon bedenken.
'Doen we!' riep Margaux echter enthousiast. 'Dat is zo lang geleden!'
De gezichten van de anderen vertoonden minder tekenen van vreugde. Maar langzaam veranderde hun uitdrukking en begonnen ze te knikken. Vroeger hadden ze verstoppertje altijd leuk gevonden, dus waarom nu niet?
'Ik ben hem', zei Margaux. 'Gaan jullie je maar verstoppen.'
'Tot hoeveel tel je?' vroeg Charlotte, nadat ze haar glas champagne in één teug achterover had gegoten. Niet meteen met kleine slokjes en haar pink naar opzij, zoals Candice het van Madame had geleerd.
'Ik tel niet', antwoordde Margaux. 'Ik schenk nog twee glazen champagne in en als ik die op heb, kom ik zoeken.'
Ze knipte met haar vingers naar de butler om aan te geven dat ze niet van plan was die glazen zelf te vullen.
De rest van het gezelschap slokte de laatste restjes uit hun glas naar binnen en kwam moeizaam overeind.
'Waar mogen we ons verstoppen?' vroeg Candice.
Ze hoopte dat het speelterrein niet te groot was. Ze had het gevoel dat ze hier weleens verloren kon lopen.

'Doe maar in het huis', wapperde Margaux met haar handen. 'Ik begin te drinken!'
Ze bracht het eerste glas naar haar mond en als kleine kinderen stoven de anderen uit elkaar, bang om gezien te worden. Noor en Candice liepen samen naar het huis.
'Doen ze dit altijd op feestjes?' vroeg Candice.
'Weet ik veel', zei Noor. 'Ze maken nu eenmaal graag plezier.'
'Ach zo', bromde Candice. 'En komt er dan straks ook een clown?'
Toen ze in de keuken kwamen, kozen ze voor de deur die naar de inkomhal leidde. Even dacht Candice eraan om in de grote luchter te gaan zitten. Die schitterde zo hard dat niemand haar zou zien zitten.
'Psst, Noor!'
Charlotte wenkte vanuit een deuropening.
'Hier is een goed plekje!'
Noor wisselde een blik met Candice, maar die knikte meteen dat het goed was. Candice wist hoe graag Noor bij Charlotte en de anderen wilde horen.
Noor koos voor de deur en Candice ging de trap op. Boven kwam ze in een lange brede gang met tientallen deuren aan beide kanten. Als Margaux die allemaal moest doorzoeken, was ze nog een tijdje bezig. Candice hoorde iets beneden in de hal. Ook iemand die zich wilde verstoppen of had Margaux haar twee glazen al uit? Ze ging op goed geluk een deur binnen.
Ze kwam in de bibliotheek terecht. Tegen de muren stonden boekenkasten die van de vloer tot het plafond

liepen en elke kast zat propvol boeken. In het midden stond een groot houten bureau, dat er erg oud uitzag. Daar moesten al heel wat generaties aan geschreven hebben. Er stond zelfs nog een potje met inkt op waarin een ganzenveer zat.
'*My sexy books*', neuriede ze zachtjes op de tonen van U2. Candice liep naar de kasten en streek met haar vingers langs de boeken. Ze herkende geen enkele titel. Zouden de bewoners van dit huis al deze boeken gelezen hebben? Ze kon zich niet voorstellen dat Margaux hier in een hoekje zat te lezen. Die zou dat vast te vermoeiend vinden.
Toen ze weer naar haar hand keek, merkte ze dat er een dikke laag stof aan was blijven hangen. De boeken werden dus amper uit de kast gehaald! Het bureau was wel proper, maar dat was waarschijnlijk meer om de schijn op te houden dan iets anders. In deze kamer kwam niemand, behalve heel af en toe de poetsvrouw.
Er werd aan de klink gemorreld. Candice draaide zich geschrokken om. Had Margaux haar nu al te pakken? Ze keek snel om zich heen, maar ze kon geen kant uit. De bibliotheek had maar één deur, tenzij er nog een geheime doorgang zou zijn. Candice trok snel aan een boek, maar er gebeurde niets. Zelfs al was er een doorgang, ze zou nooit het juiste boek vinden dat als hendel diende.
De deur ging open. Cedric. Candice wist niet of ze opgelucht moest zijn. Hij glimlachte breed toen hij haar zag. Hij had een arm op zijn rug.

'Hoi.'
'Hallo.'
'Goede verstopplaats', zei Cedric. 'Margaux haat boeken, hier zal ze niet snel komen zoeken.'
'Geluk gehad', mompelde Candice. 'Het was de eerste kamer die ik binnenstapte.'
'Vind je het goed als ik me hier ook verstop?'
Wat was dat voor een vraag? Daar kon ze toch geen nee op zeggen zonder onbeleefd over te komen?
'Tuurlijk. Zoek je maar een plekje. En neem een boek', glimlachte Candice.
Maar ze trok haar mond onmiddellijk weer in de plooi. Ze wilde hem niet op verkeerde gedachten brengen.
Cedric knikte dankbaar en stapte naar haar toe.
'Ik heb een cadeautje bij me.'
'Een cadeautje?' stamelde Candice. 'Voor mij?'
Cedric haalde van achter zijn rug een paar glimmende schoenen tevoorschijn. Candice herkende ze meteen. Prada. Haar mond viel open. Haar armen wilden onmiddellijk de schoenen grijpen en rond haar voeten passen. Maar ze wist zich te bedwingen.
'Dat kan ik niet aannemen', zei ze, ondanks de steek in haar hart.
'Vind je ze niet mooi? Dan zoek ik wel andere.'
Cedric wierp de schoenen achteloos in een hoek van de kamer.
'Nee, ze zijn heel mooi, maar...'
'Die zijn ook mooi', onderbrak hij Candice.
Hij stond recht voor haar en deed alsof hij de boeken

achter haar bestudeerde.
'Wat? Die boeken?'
'Nee, je ogen.'
Had hij dat echt gezegd? Of was het een grapje?
'Nou... Bedankt?'
'Dat was het eerste dat me aan je opviel toen ik je zag op het feestje', ging Cedric verder. 'Die twee grote, fonkelende ogen.'
Candice stond met haar mond vol tanden. Wat moest ze daarop zeggen? Ze had hem ook wel oké gevonden toen ze hem de eerste keer zag, maar daarna had ze gemerkt dat hij nogal saai was. Naar zijn ogen had ze niet gekeken.
'Toen werd ik meteen verliefd op je.'
Het werd nog erger. Meende hij dat? Verliefd? Hij kende haar nauwelijks! Zijn smachtende blik hing nu net voor haar gezicht. Ging hij haar kussen?
Cedric sloot zijn ogen en boog voorover. Hij ging het echt doen! Candice bukte naar opzij en kon hem nog net ontwijken. Cedric boog te ver en kuste de stoffige boeken. Verbaasd opende hij zijn ogen.
'Wat doe je nu?'
'Wat doe ík nu?' vroeg Candice. 'Ik wilde net vragen wat jij van plan was!'
Cedric veegde het stof van zijn lippen.
'Ik, eh, ik wilde een grapje met je uithalen.'
'Een grapje?'
'Ja, van dat verliefd zijn en zo. Ik wilde je doen geloven dat ik echt verliefd op je was.'

Cedric lachte aarzelend.
'Dat is dan goed gelukt!'
Candice schudde het hoofd. Dacht hij dat ze stom was? Iemand wijsmaken dat Nasi Goreng een Duits officier tijdens de Tweede Wereldoorlog was, dat was een grapje. Of een emmer water op een halfopen deur zetten. Maar dit was niet om te lachen. Daarvoor had hij te smachtend naar haar gekeken.
De stilte tussen hen werd steeds langer. En vervelender.
'*Silence is easy, it just becomes me*', spookte het door Candice' hoofd. Ze wist niet meer wie het zong, maar ze wist wel dat het niet waar was. Stilte was helemaal niet gemakkelijk. Ze had veel liever gehad dat Cedric iets zei. Maar die kon alleen verlegen glimlachen en vooral heel hard naar de grond staren.
De deur ging open en allebei keken ze hoopvol op. Candice was nog nooit zo blij geweest dat ze ontdekt werd bij verstoppertje spelen. Maar het was niet Margaux die hen kwam zoeken.
'Hier zit je dus!' sprak Kristof. Hij klonk boos. 'Met jou heb ik nog een eitje te pellen.'
Candice drukte verschrikt haar vinger op haar borst.
'Met mij?'
'Ja, met jou. Jij hebt mijn T-shirt naar de vaantjes geholpen!'
'O.'
Candice wist niet wat ze moest zeggen. Was hij daar nog steeds boos over?
'Kom maar even mee. Ik zal het je laten zien.'

Was dat nu echt nodig? Ze geloofde hem zo ook wel.
'Wat maak jij je nu druk?' verdedigde Cedric haar. 'Dat laat je toch gewoon wassen! Daar zijn jullie toch zo goed in, in witwassen?'
Kristof schonk hem een krampachtige grijns om aan te tonen dat hij niet gediend was van zijn commentaar.
Candice was blij dat Cedric het voor haar opnam, maar ze vermoedde ook dat hij alleen maar indruk wilde maken.
'Kom je nog?' vroeg Kristof.
Candice keek hem even aan. Ze was teleurgesteld. Hij had zo'n toffe jongen geleken, maar hij was niet meer dan een arrogante eikel. Als ze op het feestje wat langer met hem had gepraat, had ze dat misschien al sneller geweten.
'Het is al goed', zuchtte ze.
Ze volgde hem de kamer uit. Wat maakte het ook nog uit? Ze wilde hier vooral zo snel mogelijk vandaan. Erg leuk was het tot nu toe niet geweest. Volgende keer mocht Noor alleen naar het feestje gaan.
Kristof leidde haar een andere kamer in. Hij keek even achter zich om te zien of Cedric hen gevolgd was en sloot dan de deur.
'Wel, waar is dat T-shirt dan?' vroeg Candice ongeduldig. 'Als je het echt zo erg vindt, betaal ik je wel een nieuw, hoor.'
Dat had ze beter niet gezegd. Wie weet hoeveel maanden zakgeld haar dat zou kosten. In deze vriendenkring droegen ze geen goedkope spullen.

'Maak je maar geen zorgen over dat T-shirt', lachte Kristof. 'Dat is weer helemaal proper geraakt. Ik heb het zelfs aan.'
Candice bestudeerde hem wat beter. Nu pas zag ze dat hij inderdaad hetzelfde T-shirt droeg. Waar deed hij dan zo moeilijk over?
'Ik wilde je daar gewoon weghalen', legde hij uit. 'Ik heb een deel van jullie gesprek opgevangen. En je leek het niet echt naar je zin te hebben.'
'Dat kun je wel zeggen', bromde Candice. Had hij het echt alleen daarvoor gedaan? Ergens vond ze het wel lief, maar tegelijk ook wat opdringerig. Ze kon zelf wel bepalen wanneer ze ergens weg moest.
'Onze ontmoetingen lopen niet bepaald vlot voorlopig', zei Kristof. 'Ik hoop dat het er de volgende keer wat normaler aan toe gaat.'
Had hij het over een volgende keer? Wat een lef! En toch kwam er een glimlach op Candice' lippen. Hij had het tenslotte over een volgende keer!
'We zullen zien of...'
Ze werd onderbroken door de deur die openging. De butler van Margaux kwam met een lichtjes gebogen hoofd de kamer binnen.
'Excuseer', mompelde hij. 'Ik kom jullie even melden dat jullie gezien zijn.'
'Wat?' vroeg Candice. 'Door wie?'
'Door mevrouw, mevrouw', antwoordde de butler beleefd.
'Hoe kan dat nu?' zei Kristof, terwijl hij een blik door het

raam wierp. ‘Margaux zit nog buiten.’
‘Dat weet ik, meneer’, zei de butler met een kleine zucht. ‘Maar mevrouw heeft mij opgedragen om haar plaats in te nemen. Ik ben hem nu.’

7 Hide U

Het was nog veel te koud toen de Mystery Girls op maandagochtend op uitkijk zaten aan McDonald's. Het restaurant was nog gesloten, maar toch hing de kleffe geur van hamburgers in de lucht. De omgeving die normaal plezier moest uitstralen, was op dit uur nog grauw en doods. Candice lag samen met Eline achter een vuilniscontainer en Noor en Eva zaten in een klein bos verscholen. Het was bijna acht uur en er was nog niemand te zien.
'Dat gras is veel te nat, mijn schoenen zijn doorweekt', klaagde Eva door een walkietalkie.
'*Wake up it's a beautiful morning*!' zong Candice. 'Niet zeuren, straks gaat de zon schijnen.'
'Jullie hebben gemakkelijk praten', bromde Eva. 'Jullie zitten droog.'
Eline trok de walkietalkie uit Candice' handen.
'Zo fantastisch is het hier ook niet, hoor. Wij hebben de

stank van rottend vlees in onze neusgaten. Als ik straks Sander zie, durft hij me niet eens vast te nemen.'
Omdat Eline nog steeds huisarrest had, kwam Sander af en toe langs hun school. Erg lang konden ze elkaar niet zien, want Eline moest op tijd thuis zijn, maar het was beter dan niets.
'En hoe denk je dat het hier ruikt?' reageerde Eva. 'De honden die hier langskomen plassen geen parfum!'
'Ssst, er komt een auto', fluisterde Eline. 'Contact verbreken.'
Candice bukte zich en dook een stuk onder de container. Ze overschouwde het parkeerterrein, maar ze zag helemaal niets. Na een tijdje kwam ze overeind.
'Ik zie helemaal niets!'
'Er is ook niets', haalde Eline haar schouders op. 'Maar het was de enige manier om Eva even te laten zwijgen.'
Ook de volgende twintig minuten was er helemaal niets te beleven. Candice begon zich zorgen te maken. Had Madame wel de juiste informatie gekregen?
De school konden ze al vergeten. Daar kwamen ze nooit meer op tijd aan. Candice kon maar beter al een smoes bedenken. Wat kon ze gebruiken? Platte band met de fiets was altijd een goede. Of haar handen vuilmaken aan de ketting en zeggen dat die eraf was gevallen. En als het echt nodig was, kon ze nog altijd ongecontroleerd beginnen te huilen en iets vertellen over een gestorven huisdier. De mensen van het secretariaat zouden zich dan ongemakkelijk voelen en haar geen opmerking geven.

‘Krijgen jullie ook honger als jullie naar het restaurant kijken?’ kraakte Eva weer door de walkietalkie.
‘Nee’, antwoordde Candice. ‘Wie heeft er nu zin in een hamburger om acht uur ’s morgens?’
‘Nou, ik anders wel’, mompelde Eline.
‘Het is al bijna halfnegen’, wierp Eva tegen.
‘Ik weet het’, zei Candice. ‘We moesten al op school zijn.’
‘Ach, een uurtje missen kan toch geen kwaad? Ik had nu toch maar biologie en daar weet ik al alles van! We moeten gewoon...’
Een luide kreet onderbrak haar geratel. Candice en Eline keken bezorgd op. Was er iets gebeurd?
‘Jezus, Noor! Wat doe je nu?’ klonk het door de walkietalkie.
‘Ik gleed uit!’ hoorden ze in de verte vloeken. ‘Denk je dat ik voor mijn plezier met deze kleren in het gras ga liggen?’
‘Het is niet alleen gras.’
‘Getver!’
Daarna werd het onduidelijk. Ze hoorden allerlei schurende geluiden en af en toe wat boos gemompel.
‘Wie doet er nu ook een jurkje aan om op uitkijk te staan?’ zei Eline.
Candice moest lachen. Sinds Noor haar nieuwe vrienden had leren kennen, wilde ze altijd en overal chique kleren dragen. Of toch kleren die er chic uitzagen.
‘Hopelijk heeft ze nog iets anders bij zich’, zei Candice. ‘Anders slaat ze een gek figuur op school.’

'Bwa, gekker dan in een pyjama naar school gaan, kan niet', zei Eline.
Dat was Candice al bijna vergeten. Hun leerkrachten moesten denken dat de meiden thuis geen fatsoenlijke kleren meer kregen.
'Stil, er komt iemand!' riep Eva plots.
Candice bukte zich opnieuw onder de container. Een vrachtwagen kwam langzaam het parkeerterrein opgereden. Vreemd, aangezien het restaurant nog niet open was.
Het portier van de cabine ging open en een grote gespierde man stapte uit. Hij leek meer op een bodybuilder dan op een vrachtwagenchauffeur. Hij leunde achterover tegen het voorwiel en keek met gekruiste armen in het rond.
'Die heeft hier afgesproken', zei Eline, die op haar buik naast Candice was komen liggen.
'Of hij wacht tot McDonald's opengaat', grinnikte Candice zacht.
Weer gebeurde er een tijdje niets. Candice werd bang dat ook het tweede lesuur verloren zou gaan. Dat was niet meer te laat komen, maar eerder spijbelen.
Ook de chauffeur begon zich te vervelen. Hij opende het portier van zijn cabine en begon zich omhoog te trekken aan het dak. Op en neer, schijnbaar moeiteloos. Niet meteen de gewoonte van de gemiddelde vrachtwagenchauffeur. Zijn spieren waren zichtbaar door zijn dunne wollen trui. Eline had haar fototoestel uit haar tas genomen en begon foto's te maken. Ze

moesten zoveel mogelijk bewijsmateriaal verzamelen.
'Beweging aan jullie linkerkant', fluisterde Noor in de walkietalkie.
Een tweede vrachtwagen reed in hun richting en stopte naast de andere. Candice hoorde zijn portier opengaan en dichtslaan en even later stond de chauffeur aan de andere vrachtwagen. Hij was al even breed als zijn collega, alleen veel kleiner. De eerste chauffeur stopte met zijn ochtendgymnastiek en begroette de nieuwkomer met een omhelzing. Eline legde alles vast met haar fototoestel.
'Misschien hebben ze een afspraakje', suggereerde Candice. 'Daarom zijn ze zo stiekem!'
'In dat geval zou ik de operatie liever meteen afbreken', zei Noor droog.
De chauffeurs babbelden tegen elkaar met brede gebaren. Regelmatig barstten ze daarbij in lachen uit en gaven ze elkaar een klap op de schouder waar een ander mens van in twee zou breken.
'Ze zijn opgelucht', concludeerde Eline. 'Ik zie het aan hun lichaamstaal. Er is net een spanning van hen afgevallen en daarom doen ze nu zo druk.'
'Maar wat hebben ze dan gedaan?' vroeg Candice.
'Tja', haalde Eline haar schouders op. 'Daar heb ik niet alleen lichaamstaal voor nodig, maar ook echte taal.'
Het gebrom van een motor deed hen opnieuw hun hoofd draaien. Deze keer kwam het geluid van rechts.
'Er komt nog een auto bij', deelde Candice snel mee in de walkietalkie.

De chauffeurs stopten met praten en wachtten tot de auto dichterbij kwam, een grote dure Audi. Een man in een chic grijs kostuum stapte eruit, trok de kraag van zijn hemd recht en inspecteerde de omgeving. Hij was een veertiger met een weelderige grijze haardos en liep lichtjes voorovergebogen. Zijn half toegeknepen ogen gaven hem een gemeen karakter.
'Die moeten we in het oog houden', fluisterde Eline terwijl ze ook de nieuwkomer digitaal vastlegde.
'Hij lijkt wel een maffiafiguur', knikte Candice.
Toen de man zijn portier dichtklapte, vloog er een papiertje uit het zijvak. De man stapte naar de chauffeurs. Hij begroette hen niet, maar begon meteen vragen te stellen. Candice kon niet horen wat hij zei, maar het maakte indruk op de chauffeurs. De twee gespierde mannen krompen bijna in elkaar terwijl ze werden toegesproken.
'Hebben we niets om af te luisteren?' vroeg Candice.
'Jawel', antwoordde Eline. 'Madame heeft een microfoontje meegegeven. Maar dat kan ik moeilijk op hun kraag gaan spelden.'
De man wees naar de eerste vrachtwagen en de chauffeur liep er onderdanig naartoe. Hij opende de laadklep, zodat de man de inhoud kon inspecteren.
'Zien jullie iets?' zei Candice zacht in haar walkietalkie.
'Alles', antwoordde Noor.
'Wat zit erin?'
'Van alles. Ik zie schilderijen en beelden, maar ook tafels en stoelen. Het lijkt wel een verhuiswagen!'

De man deed teken dat het in orde was en de chauffeur sloot de laadklep. Daarna deden ze alles nog eens over bij de tweede vrachtwagen. Hier bestudeerde de man in het pak de inboedel nog nauwkeuriger. Hij stapte zelfs in om alles te bekijken. Maar geen van de meiden was goed geplaatst om mee te kunnen kijken. En zich nu nog verplaatsen bracht te veel risico's met zich mee.
'Het lijkt wel een douanecontrole', merkte Eline op. 'Alsof hij op zoek is naar verboden goederen.'
Dat bracht Candice op een idee. Dat die man geen douanier was, was duidelijk. Maar de spullen zouden inderdaad weleens verboden kunnen zijn.
'Ze zijn gestolen', mompelde ze.
'Wat?'
'Hij controleert of ze hun werk goed hebben gedaan. Of zoiets.'
'Dus die chauffeurs zijn al die spullen gaan stelen?'
'Mm, ik weet het niet. Laten we nog even afwachten. Hij is er weer.'
De man was ondertussen uit de vrachtwagen geklommen. Hij stak zijn duim op naar zijn auto.
'Wie denkt hij dat hij is? Knight Rider?' lachte Noor zacht door de walkietalkie.
Maar het teken was niet aan de auto zelf gericht. De beide achterportieren gingen open en twee andere mannen stapten uit. Ze waren, in tegenstelling tot hun baas, niet zo stijf gekleed. Een jeans en een T-shirt, meer niet, alsof ze zo hun onderdanigheid aan hun baas wilden benadrukken.

'Allemaal Armani', mompelde Noor.
Zo goedkoop waren ze dus ook niet gekleed. Candice vond het straf hoe hard Noor op die korte tijd gebrainwasht was. Ze deed een observatieopdracht voor Madame en het eerste waarop ze lette, was welk merk van kleren de mensen aan hadden.
De rechtse Armani had een koffer in zijn hand. Hij liep ermee naar zijn baas en overhandigde hem. Die opende de koffer en toonde hem aan de vrachtwagenchauffeurs.
'Wat is het?' vroeg Candice, hoewel ze kon vermoeden wat er in de koffer zat.
'Geldbriefjes', antwoordde Eva. 'Veel geldbriefjes.'
De chauffeurs wierpen een blik op het geld en knikten. De man klapte de koffer weer toe en gaf hem aan de kleine chauffeur. Die kon een glimlach nauwelijks onderdrukken. Ze hadden een goede deal gemaakt.
De chauffeurs tastten in hun zakken en haalden er allebei een sleutel uit. De grijzende man nam ze aan en wierp ze naar zijn Armanihelpers. Zonder een vraag te stellen liepen ze naar de vrachtwagens. Ze klommen in de cabine en niet veel later reden ze met veel lawaai weg.
De man knikte nog een keer kort naar de vrachtwagenchauffeurs en stapte dan weer naar zijn auto. Geruisloos stuurde hij zijn wagen de parking af. En toen was het weer heel stil. Alleen de twee chauffeurs stonden er nog, met de koffer in hun handen.
'Als we hen nu overvallen, zijn we rijk', fluisterde Eline.
'Heb je hun spierballen gezien?' reageerde Candice. 'Die gooien mij zo in de container!'

De mannen keken om zich heen en begonnen dan weg te stappen. Met hun handen in hun zakken, haast fluitend. Hun week was alvast goed begonnen.
Pas wanneer de meiden heel zeker waren dat de mannen helemaal weg waren, kwamen ze uit hun schuilplaats. Ze verzamelden op de parking. Candice moest haar lach inhouden toen ze de groene en bruine vlekken op Noors lichtblauwe jurkje zag.
Eva speurde de grond af op de plek waar de vrachtwagens hadden gestaan. Als een kip op zoek naar graan bracht ze af en toe haar hoofd omlaag. Na een tijdje bukte ze zich tot op de grond en raapte iets op.
'Wat heb je gevonden?' vroeg Candice.
Eva toonde haar vondst: een stukje draad. Candice gokte dat het van de man kwam die gymnastiekoefeningen aan zijn cabine had zitten doen. Eva's experimenteerlust gaf haar ook oog voor de kleinste details. En het bracht Candice op een idee. Het papiertje.
Ze keek om zich heen en zocht de plaats waar de Audi was gestopt. Ze liep ernaartoe. Het papier lag er nog. Candice nam het in haar handen en las het teleurgesteld. Het was reclame voor een jumpingevent. De beste rijders en de beste paarden zouden eraan deelnemen. Wat had ze verwacht? Een papier waarop alle gegevens van de man stonden? Ze stak het in haar zak en voegde zich weer bij haar zussen.
'Wat doen we nu?' vroeg Eline.
'Naar school gaan zeker?' zei Eva. 'Hoewel ik meer zin heb in iets anders. Kunnen we niet nog iets gaan

onderzoeken?'
Eline bekeek de foto's op haar toestel.
'Ik heb de nummerplaten van de vrachtwagens. Als je wilt, kun je die gaan opsporen.'
Eva wuifde het voorstel weg.
'Nah, dat is meer iets voor Madame. Ik zou veel liever onderzoeken of een hamburger op je lege maag slecht is voor je gezondheid.'
Ze keek de anderen aan met een brede grijns op haar gezicht.
'En er is maar één manier om dat te weten te komen!'

8 I want shoe

'Kijk eens! Wat vinden jullie ervan?'
Eva kwam trots aangelopen met een stapel papier in haar hand. Haar gezicht was rood van de opwinding. Candice had haar niet meer zo gezien sinds... sinds de dag ervoor eigenlijk, toen Eva had ontdekt dat hagelslag in soep best wel lekker was. Eva raakte nogal snel opgewonden over iets.
'Ik kwam op het idee tijdens de strafstudie vanmiddag.'
Omdat de meiden veel te laat op school waren die maandagochtend, hadden ze allemaal een uur strafstudie gekregen op woensdagmiddag. Hun smoesjes over een platte band en een geloste ketting hadden niet geholpen. Zelfs toen Candice nog had geprobeerd om te huilen om een overleden huisdier, had de mevrouw van het secretariaat alleen maar boos gekeken.
Ook Madame had boos naar hen gekeken toen ze hun

agenda's lieten ondertekenen. Niet omdat ze strafstudie hadden, wel omdat ze niet in staat waren geweest om een goede uitvlucht te verzinnen. Als ze nog niet voorbij een secretariaat geraakten, wat zouden ze dan doen als ze eens echt in gevaar waren?
'En daarnet heb ik het uitgewerkt op de computer', legde Eva verder uit. 'Wat denken jullie. Mooi, hé?'
Candice en Noor zaten in de zetel naar de televisie te kijken en waren niet meteen geïnteresseerd in de wilde ideeën van hun zus. Eva dacht daar echter anders over en nam resoluut de afstandsbediening in handen. Een druk op de knop en het beeld floepte weg. Candice keek met tegenzin op.
'Wat doe je nu?'
'Ik eis jullie aandacht op', zei Eva vermanend. 'Jullie zouden beter wat meer buiten spelen in plaats van altijd voor de televisie te zitten!'
Eva klonk als een echte mama, hoewel ze zelf eigenlijk het meest van alle meiden televisie keek.
'Kijk nu maar eens hier!'
Ze zwierde een blad papier op de schoot van Candice en ook Noor kreeg er een. Candice keek met grote ogen naar het blad. Het was een affiche. In het midden stond een foto van schoenen, een hele hoop schoenen zelfs. Daarboven stonden de woorden: '*Wanted, dead or alive*'. Helemaal onderaan stond nog het telefoonnummer van Eva. Wat wilde ze hier in godsnaam mee bereiken?
'Wat moet dat voorstellen?'
'Ik ben het beu dat de politie niets doet om mijn

schoenen terug te vinden', verduidelijkte Eva.
'De politie weet niet eens dat je schoenen gestolen zijn', merkte Noor op. 'Hoe kunnen ze ze dan opsporen?'
Eva was blijkbaar al vergeten dat haar telefoontje naar de hulpdiensten niet veel had uitgehaald.
'Dan moeten ze maar wat meer moeite doen. Als ze even zouden bellen, kan ik alles uitleggen.'
'De kans is groot dat ze je nu wel zullen bellen', knikte Candice naar de affiche. 'Ga je ze ophangen in het dorp?'
'Nee', schudde Eva vastberaden haar hoofd. Gelukkig, dacht Candice. Ze durfde er niet aan te denken dat al die affiches in de straten hingen.
'Wij gaan die affiches ophangen!' vervolgde Eva. 'Ik heb emmers met lijm en ik heb genoeg affiches om elke paal in het dorp te beplakken. Dus doe maar oude kleren aan, ik verwacht jullie over een kwartier op jullie fiets.'
Eva wachtte geen antwoord af en beende de woonkamer uit. Candice en Noor keken haar met open mond na. Het leek een grap, maar Candice kende Eva goed genoeg om te weten dat ze het meende. Ze moest en zou haar schoenen terugvinden.
'Ik wil geen lijm op mijn kleren', zei Noor. 'Ik heb al een jurkje verknoeid in het gras.'
'En ik wil vooral niet dat iemand mij ziet als ik die idiote affiche aan het ophangen ben', voegde Candice eraan toe. 'Tijd dus om voor afleiding te zorgen.'
Ze stond op uit de zetel en liep naar de computer, die in de hoek van de woonkamer stond. Voor de computer zat Madame uiterst geconcentreerd naar het scherm te

staren. Ze was al enkele dagen bezig de informatie te verwerken die de meiden hadden verzameld tijdens de observatie.
'Hebt u al iets gevonden?' vroeg Candice terwijl ze op Madames schouder tikte.
Madame schrok en kwam meteen in actie. Ze greep Candice bij haar pols, trok die over haar schouder en legde haar andere arm rond Candice' nek. Pas toen ze het bange gezicht van haar dochter opmerkte, hield ze zich in. Ze loste haar greep en Candice begon te kuchen.
'Meid, wat doe je me schrikken!' riep Madame.
'Ik heb u doen schrikken?' vroeg Candice verbaasd. 'Wat moet ik dan zeggen?'
'Wat denk je van sorry?'
Candice wreef over haar pijnlijke pols. Meende ze dat nu? Madame was zo verdiept geweest dat ze zich helemaal ergens anders had gewaand. In een jungle tussen vijandelijke troepen of zoiets.
'Ik wilde gewoon even vragen of u al iets had ontdekt.'
'Kun je dat in het vervolg dan gewoon vragen en me niet de pleuris laten schrikken?'
'Ik dacht dat ik dat had gedaan.'
Madame keek haar fronsend aan en schoot dan in de lach.
'Je hebt gelijk. Ik heb misschien een tikkeltje overdreven.'
'Een tikkeltje?'
'Maar je kunt niet voorzichtig genoeg zijn in het leven! Laat dat meteen een les zijn.'

'Oké, maar dan mag u het komen uitleggen als ik op school straf krijg omdat ik een leerkracht in een wurggreep heb genomen nadat hij me op de schouder heeft getikt!'
Madame deed alsof ze daarover nadacht. Ze wreef haar handen over elkaar en trok haar lippen heen en weer.
'Goed', zei ze. 'En als die leerkracht niet naar mij wil luisteren, neem ik hem in een wurggreep!'
Candice besloot dat ze niet kwaad kon zijn op een moeder die zulke grapjes maakte. Geen enkele van de leerlingen van haar klas kreeg zoiets thuis te horen.
'Heeft u nu eigenlijk al iets ontdekt?'
Madame knikte. Ze wees naar het scherm. Noor kwam erbij staan, nu ze zag dat het gevaar op onverhoedse gevechtsbewegingen geweken was.
'Ik heb ontdekt waar de vrachtwagens zijn.'
'Perfect', zei Noor enthousiast. 'Dan weten we ook waar die enge man is.'
'Zo gemakkelijk is het niet', zei Madame. 'De vrachtwagens zijn eigendom van een transportbedrijf. Ze staan gewoon op de parking.'
'Laat me raden', zei Candice. 'Ze waren helemaal leeg en van de chauffeurs was geen spoor?'
'Exact', bevestigde Madame. 'De spullen zijn dus eerst ergens afgezet en dan zijn de vrachtwagens terug op hun plaats gezet. Klinkt heel eenvoudig en dat is het ook.'
'Zijn er geen sporen te vinden?' vroeg Noor.
'Daarvoor is het nog te vroeg', antwoordde Madame. 'De vrachtwagens worden onderzocht. Maar als de daders

een beetje professioneel zijn, is de kans groot dat we niets vinden.'
Candice glimlachte bij Madames gebruik van het woordje 'we'. Ook al was ze eigenlijk met pensioen, toch kon ze het niet laten om speurwerk te verrichten. Ze was pas echt op haar gemak als ze met een onderzoek bezig was. Of als ze met een cocktail en een boek op een wit strand aan een blauwe zee lag, maar dat was in België iets moeilijker te vinden.
'Wie heeft er allemaal toegang tot de vrachtwagens?' vroeg Candice. 'Je kunt daar toch niet gewoon binnen wandelen en een vrachtwagen lenen?'
Madame knikte nadenkend.
'Ik laat een lijst opvragen van alle werknemers. Dan kunnen we die vergelijken met de foto's die jullie hebben genomen. De kans is groot dat we snel hun namen kennen.'
'En wat met de auto van de man?'
'Die nummerplaat is gecontroleerd, maar dat spoor loopt dood. Ze behoort toe aan deze man.'
Madame klikte iets aan op de computer en er verscheen een grote foto op het scherm. Een oude, kalende man keek hen triest aan, voorovergebogen op een spade.
'Zijn nummerplaten werden een tijd geleden gestolen. Hij heeft geen grote Audi en lijkt in niets op de foto die jullie van de man hebben genomen.'
'En is er iets waarmee we wel verder kunnen?' vroeg Noor.
Madame toonde hen enkele andere foto's. Afbeeldingen

van vazen, schilderijen en meubels.
'Dit zijn allemaal dure dingen die de voorbije dagen gestolen werden. Herkennen jullie er iets van?'
Noor kwam wat dichter bij het scherm en tuurde naar de foto's.
'Ik kan het niet met zekerheid zeggen. Maar dat soort spullen zat ook in de vrachtwagens.'
'Net wat ik dacht', bromde Madame. 'De conclusie lijkt me duidelijk.'
Ze keek vol verwachting naar Candice en Noor. Die keken net hetzelfde terug, wachtend op de conclusie van Madame. Toen die niet kwam, besefte Candice dat Madame hen niet alles wilde inlepelen. Ze moesten actief meedenken. Het leek wel of ze op school zaten.
'Die twee bodybuilders hebben allemaal dure dingen gestolen', begon Noor aarzelend. 'En die hebben ze dan naar de parking van McDonald's gebracht.'
'Correct', knikte Madame. 'Maar dat had een kleuter kunnen bedenken. Wat gebeurt er daarna?'
'De man met de Audi geeft hen geld', vulde Candice aan. 'Waarschijnlijk om hen te betalen voor de geleverde diensten.'
'Daar lijkt het inderdaad op.'
Candice dacht na. Het leek allemaal zo eenvoudig. Ze had verwacht dat alles ingenieuzer in elkaar zou zitten. Iets met een groot plan of een gemene crimineel die de wereld wilde vernietigen.
'En wat doet de man dan met die spullen?' vroeg Noor.
'Wat denk je?'

‘Verkopen?’ probeerde Candice.
‘De kans is groot.’
‘Maar dat is zo voor de hand liggend!’
Madame wendde haar blik af van het scherm en draaide zich naar de meiden.
‘Laat dat de belangrijkste les zijn voor vandaag: de wereld is eenvoudig. Dieven stelen dingen omdat ze geld willen. Veel verder hoef je het vaak niet te zoeken. Het enige verschil met de gemiddelde dief is dat we hier met een slimme dief te maken hebben. Iemand die het groots aanpakt en meteen heel veel geld verdient. Iemand die bovendien het vuile werk door anderen laat opknappen, waardoor hij moeilijker op te sporen is.’
Candice moest haast lachen met het beeld dat in haar gedachten opkwam. In haar hoofd waren dieven mannen met zwarte kleren en een zwarte muts op, die met een tas vol gestolen spullen over daken slopen en door ramen klommen. Misschien hadden de bodybuilders het ook wel zo gedaan. Maar het feit dat de man met het goede voorkomen eigenlijk de grootste dief van allemaal was, betekende dat ze een tegenstander hadden die zich niet zomaar zou laten vangen.
Madame schrok op toen haar gsm meldde dat ze een bericht had. Ze las de boodschap, fronste haar wenkbrauwen, nam haar gsm en hield hem aan haar oor. Met wie ze belde, was niet helemaal duidelijk, want Madame zei haast niets. Ze kribbelde alleen enkele dingen op een papier. Toen ze inlegde, keek ze Candice aan.

'Jij kent die Cedric Duval?'
Candice keek vragend op. Wat was er met Cedric? Ze had de namen van Noors vrienden aan Madame doorgegeven bij de vorige les. Ze knikte.
'Ik heb al met hem gepraat.'
Ze durfde er niet bij te vertellen dat hij haar ook had proberen te kussen. Al leek het op dat moment alsof Madame dat als een pluspunt zou beschouwen.
'Dan ga jij met mij mee.'
'Waarom?'
Ze had niet veel zin om Cedric uit eigen wil te gaan opzoeken. Hij zou er nog iets verkeerds achter zoeken. Ze wilde zeggen dat Noor hem ook kende, maar ze hield haar mond.
'Er is bij hem ingebroken. Zondagnacht, dus de deal die jullie hebben gezien, was rond de inbraak bij Cedric. We moeten op zoek naar sporen.'
Op dat moment kwam Eva binnen in een gerafelde jeans en een versleten T-shirt met gaten.
'Wie heeft het hier over sporen zoeken?' vroeg ze opgewekt. 'Dat is exact wat wij gaan doen!'
Ze bleef in het midden van de woonkamer staan en keek naar Candice en Noor.
'Gaan jullie zo affiches plakken?'
'Natuurlijk niet', zei Noor.
'Gelukkig maar', zei Eva opgelucht. 'Anders zouden jullie kleren wel heel vuil worden, hoor.'
'Wees gerust', glimlachte Candice. 'We houden deze kleren aan, maar ze zullen niet vuil worden.'

Eva fronste haar wenkbrauwen. Ze keek van Candice naar Noor en weer terug. En dan werden haar ogen groot.
'Jullie gaan niet mee!'
Heel even voelde Candice een schuldgevoel opkomen. Konden zij en haar zussen niet altijd op elkaar rekenen? Konden ze Eva zomaar in de steek laten? Maar dan nam het gezond verstand van Candice weer over. Er waren grenzen aan hun zusterschap. Affiches plakken voor een berg schoenen was zo'n grens.
'Goed, dan ga ik wel alleen!' zei Eva verontwaardigd. 'Maar denk maar niet dat jullie ooit nog mijn schoenen mogen lenen als ik ze terugvind.'
'Je wilde vroeger ook al niet dat we je schoenen aandeden', merkte Noor op. 'Ze zouden uitzetten door onze klompen. Jouw woorden.'
'Wel,' snoof Eva, 'dan had ik het dus altijd al bij het rechte eind!'
Ze graaide haar affiches van de tafel en stampte voor de tweede keer op korte tijd de woonkamer uit. Madame, die de woonkamer weer binnenkwam en het hele plakgedoe niet had gevolgd, keek haar peinzend na. 'Waarom draagt ze nu zulke vodden? Zijn haar kleren ook al gestolen?'

Niet veel later zaten Candice en Madame in de auto, op weg naar het huis van Cedric. Madame gaf meer uitleg over wat ze gingen doen.
'Het huis is al onderzocht door de politie. Maar ik wil er

zeker van zijn dat we niets over het hoofd zien. Dus we moeten zelf de plaats kunnen bekijken. Aangezien jij hem kent, is het een unieke kans.'
Candice begreep Madames uitleg, maar ze vond dat ze het iets te gemakkelijk opnam.
'En wat moet ik dan zeggen?'
'Weet ik veel. Waarover hebben jullie de vorige keer gepraat?'
Madame moest eens weten.
'Gewoon, over van alles.'
'En klikte het?'
'Ja, best wel.'
Ze had het zonder overtuiging gezegd. Madame keek haar even aan en richtte dan haar blik weer op de weg.
'Niet dus.'
Candice kon Madame nu eenmaal weinig wijsmaken.
'Laat ik zeggen dat hij het wel vond klikken en ik iets minder.'
'Hij is verliefd op jou. Hij heeft dat gezegd en jij hebt hem afgewezen.'
De snelheid waarmee Madame een situatie kon inschatten, bleef Candice verbazen.
'Zoiets.'
'Hm, dat maakt het iets lastiger om plots te komen binnenvallen. Alhoewel, hij zal je graag zien komen. Mannen geloven altijd in de goedheid van de vrouw. Hij zal denken dat je hem toch nog een kans wilt geven.'
'Maar dat wil ik helemaal niet', protesteerde Candice.
'Je kunt niet altijd alleen maar doen wat je wilt', zei

Madame.
Ze parkeerde de auto in een straat vol grote huizen. Het was dezelfde wijk waar ook Margaux woonde. Een speelgoedwinkel voor dieven.
'Voor deze zaak is het goed als je het vertrouwen van Cedric kunt behouden. Hij is bang, in de war, omdat er inbrekers in zijn huis zijn geweest. Alles wat hij vertelt, kan belangrijk zijn.'
'Speel ik dan niet met zijn gevoelens?'
Madame schudde het hoofd, bedacht zich en knikte.
'Ja. Maar soms moet dat. Andere mensen zullen je dankbaar zijn. En pas op, ik zeg niet dat je plots moet gaan flemen, hé. Gewoon vriendelijk zijn. Daar doe je niets mis mee.'
Candice zuchtte en stapte uit de auto. Madame had gelijk. Madame had altijd gelijk. Ze wandelde naar de voordeur en belde aan. Madame volgde haar op de voet.
'Ga jij mee?'
'Natuurlijk', glimlachte ze. 'Dit wil ik voor geen geld missen.'
'En wat zeg ik dan?'
'Verzin maar iets.'
Cedric deed zelf de deur open. Hij keek verbaasd toen hij Candice zag, nog verbaasder toen hij achter haar ook Madame zag opduiken. Maar hij lachte al snel.
'Dag Candice.'
'Dag Cedric', zei Candice. 'We waren in de buurt. En ik had gehoord wat er gebeurd was. Ik dacht, ik ga even langs. Ik kan me voorstellen dat je je helemaal niet op je

gemak voelt.'
Cedric keek van Candice naar Madame.
'Van wie heb je het gehoord?'
Candice aarzelde. Dit was exact waarom ze hier geen zin in had. Ze was helemaal niet voorbereid. Ze kon moeilijk zeggen dat Madame goede contacten had bij de politie en dat die haar hadden aangeraden eens een bezoekje te brengen.
'Van Kristof', flapte ze eruit.
Het was de eerste naam die bij haar opkwam. Vooral omdat het degene was aan wie ze het meeste dacht.
Cedrics gezicht betrok. Kristof was degene die haar bij hem had weggehaald.
'En van de anderen', voegde ze eraan toe. 'Gaat het een beetje?'
Ze moest zijn aandacht afleiden. Het lukte, want hij glimlachte toen hij de bezorgdheid in haar stem hoorde. Die was gemeend, al was het meer een bezorgdheid dat hij haar leugens niet zou doorzien.
'Ja hoor', zei Cedric. 'Maar kom binnen, wat een onbeleefde gastheer ben ik.'
Candice volgde hem naar binnen. Cedric keek een beetje raar toen ook Madame mee naar binnen kwam, maar hij durfde Candice niet te beledigen door haar moeder buiten te laten staan. Candice keek in het rond. Het huis leek op dat van Margaux, alles was groter dan normaal. Maar niets wees op een recente inbraak.
'Is er veel weg?' vroeg Candice.
Ze had geen zin om het bezoek te lang te rekken, dus

had ze besloten recht op haar doel af te gaan.
'Heel veel', zei Cedric droevig. 'Alles waar mijn ouders aan gehecht waren, is gestolen. Schilderijen, beelden, zelfs kleren.'
'En ben jij iets kwijt?'
'Nee, in mijn kamer zijn ze niet geweest. Ik heb geluk gehad. Maar wil je misschien iets drinken?'
Candice schudde het hoofd. Dat betekende alleen maar tijdverlies. Maar op dat moment voelde ze een lichte por van Madame in haar rug.
'Ja, natuurlijk', mompelde ze.
'Kom maar mee', zei Cedric en hij deed de deur open naar de woonkamer. 'Er is toch niemand thuis.'
Madame hief haar handen.
'Doen jullie maar. Ik wil niet storen. Ik wacht hier wel even in de hal.'
'Zeker?' vroeg Cedric.
'Absoluut. Gaan jullie maar. Maar ook niet te lang, hé', knipoogde ze naar Candice.
Ze lieten Madame achter in de hal. Ze zette een brede grijns op en stak haar duim nog een keer op om aan te geven dat de tortelduifjes hun gang mochten gaan.
Candice kon er niet echt om lachen, maar tegelijk moest ze toegeven dat het een uitstekende zet van Madame was. Ze had zichzelf toegang verschaft tot het onderzoeksgebied. En Candice moest voor de afleiding zorgen. Candice had het liever omgekeerd gezien.
'Sinaasappelsap?' vroeg Cedric.
Zonder een antwoord af te wachten haalde hij uit een

kast een zak sinaasappelen tevoorschijn. Hij sneed ze een voor een in twee stukken en perste ze uit op een designfruitpers die Candice ook bij Margaux had zien staan. Ze wist niet goed of ze hem attent of een uitslover moest vinden.
'Lief dat je langsgekomen bent', fleemde Cedric.
'Zo ben ik', glimlachte Candice.
En toen werd het stil. Het deed Candice denken aan hun eerste gesprek op het feestje van Eline. Ook toen had Candice het gesprek levend moeten houden. En dat had behoorlijk wat moeite gekost.
'Wanneer hebben jullie het ontdekt?'
Als ze dan toch verplicht met Cedric moest babbelen, kon ze hem net zo goed uithoren.
'Wat?'
'Dat er inbrekers geweest zijn.'
'Maandagochtend. Toen begon mijn moeder plots te gillen.'
Het moest akelig zijn om te beseffen dat er onbekenden in je huis kwamen. Candice durfde er niet aan te denken dat het bij hen zou gebeuren. Al zou ze vooral medelijden hebben met de inbrekers als Madame hen zou betrappen.
Eigenlijk was het al gebeurd. Eva's schoenen waren gestolen op een moment dat de meisjes thuis waren. En toch beschouwde Candice dat niet als hetzelfde soort inbraak. Waarom wist ze niet, maar ze dacht nog altijd dat de schoenendiefstal niets te maken had met de rest van de inbraken.

'En wat gebeurde er toen?'
'Dat weet ik niet zo goed meer. De politie is gekomen en ik ben naar school gegaan. Toen ik terugkwam, was alles al opgeruimd. Mijn ouders hebben me overal buiten gehouden.'
Candice moest een zucht onderdrukken. Veel zou ze van Cedric niet te weten komen. Hopelijk had Madame meer succes.
'Weten ze wie erachter zit?' probeerde ze nog een keer.
'Nee, het zal wel een rondreizende bende zijn.'
'Zegt de politie dat?'
'Nee, ik denk dat.'
'En waarom hebben ze jullie huis gekozen?'
'Dat weet ik niet.'
'Heb je iets gehoord?'
'Ik denk het niet.'
Candice dronk van haar sinaasappelsap. Ze had geen zin om de regels te volgen, ze hield haar pink niet naar buiten en ze slurpte. Madame was er toch niet bij.
Het had geen zin om door te vragen. Cedric wist niets en meer vragen zouden alleen maar verdacht overkomen.
En dus zwegen ze en dronken ze van hun drankje.
'Weet je,' zei Cedric na een tijdje, 'ik ben ook wel blij dat er inbrekers zijn geweest.'
'Echt?' vroeg Candice.
'Ja, want de inbraak heeft ons dichter bij elkaar gebracht.'
Candice moest op haar tanden bijten. Cedric keek haar smachtend aan en schoof zijn stoel een klein beetje

dichterbij. Candice balde haar vuisten. Datgene waar ze bang voor was geweest, kwam uit. Candice wendde zich een beetje af. Wat als hij haar weer wilde kussen? Madame zou zeggen dat dat bij haar opdracht hoorde. Ze zou het niet goed vinden als ze Cedric zomaar afwees, voor ze alles onderzocht hadden.
Cedric boog zich een beetje voorover. Het was zover. Candice kneep haar ogen dicht. Moest ze dit echt toestaan?
Maar dan trok Cedric zich plots terug. Toen Candice haar ogen opendeed, zag ze waarom. Madame stond achter hem en had hem vast bij de kraag. De blos op zijn wangen was roder dan de ochtendzon.
'Sorry, Romeo', zei Madame zacht. Candice zag een glimlach op haar lippen. 'De prinses hier moet dringend naar huis, anders verandert ze weer in een arm meisje.'

9 Dreams will come alive

Toen Candice op haar fiets stapte, was ze een beetje zenuwachtig. Ze vroeg zich af waarom. Het was niet de eerste keer dat ze naar een feestje van Noors vrienden ging. Maar wel de eerste keer dat het bij Kristof thuis was.
Na het vorige feestje had ze besloten om niet meer met Noor mee te gaan. Al dat gedoe over wie het grootste zwembad had... Wat was je trouwens met een groot zwembad als je er toch niet in zwom? Verstoppertje spelen in een huis met een miljoen kamers vond ze maar stom en de manier waarop Margaux met haar butler was omgegaan, was Candice ook al niet bevallen.
En toch had ze onmiddellijk ja gezegd wanneer Noor vroeg om mee te gaan. En dat voor een jongen met wie ze nauwelijks een paar zinnen had gewisseld. Candice vroeg zich voortdurend af wat er was gebeurd als de butler niet de kamer was binnengekomen. Ach, ze

beeldde zich maar wat in. Kristof viel vast niet voor een eenvoudig meisje als zij.
'Je hebt je extra mooi gemaakt, zie ik?' grijnsde Noor toen ze haar fiets naast die van Candice zette.
Candice had een kleine roos in haar haren gespeld. Subtiel, om niet meteen alle aandacht te trekken, maar toch groot genoeg om de aandacht te trekken. En ze had ervoor gezorgd dat het een dure roos was.
'En jij hebt extra kosten gemaakt, zie ik?' kaatste Candice onmiddellijk terug.
Noor had nog maar eens een nieuw jurkje gekocht. Ze had ontdekt dat niemand in haar vriendengroep ooit twee keer hetzelfde aandeed, dus was ze verplicht om voor elk feestje te gaan shoppen.
'Ik weet het', zuchtte Noor. 'Mijn geld is bijna op. Ik moet dringend een goedkopere dure stijl hebben.'
Op dat moment fladderde een stuk laken tussen hen in. Noor en Candice keken verbaasd omhoog. Een lange sliert aan elkaar geknoopte lakens hing uit een raam van hun huis. Het raam van Elines kamer.
'Wat is ze van plan?' vroeg Candice.
'Ik vrees dat ik een vermoeden heb', antwoordde Noor, terwijl ze met een bezorgde blik naar het raam staarde.
Eline klauterde over de rand en greep zich goed vast aan de lakens. Ze liet zich een beetje achterovervallen en zette haar voeten tegen de muur. Precies zoals de meiden het van Madame hadden geleerd. Alleen had die nooit gewild dat ze het voor zoiets zouden gebruiken.
Voetje voor voetje stapte Eline naar beneden. Langzaam,

want ze had geen beveiliging. Toen ze ongeveer halfweg was, stopte ze. Ze liet een hand los om naar haar oor te grijpen en keek verward om zich heen.
'Wat gebeurt er?' vroeg Noor hardop.
Maar Eline antwoordde niet. Ze speurde de omgeving af, haalde dan haar schouders op en klom verder. Een stap later zoefde een klein balletje door de lucht, rakelings boven haar hoofd. Opnieuw moest ze stoppen.
'De volgende keer is het raak, hoor!' hoorden ze plots in de verte roepen.
Candice keek in het rond, net als Noor en Eline. Na een tijdje zoeken ontdekte ze de eigenares van de stem. Madame stond een beetje verderop, op het dak van een garage. Over haar schouder hing haar golftas en in haar hand had ze een van haar stokken. Ze legde een balletje voor zich neer en maakte zich klaar om weer uit te halen.
'Je krijgt één minuut om weer in je kamer te geraken!' riep ze. 'Anders zul je sneller beneden zijn dan je had verwacht!'
Eline keek over haar schouder en schatte de diepte in. De afstand was groot genoeg om zich behoorlijk te bezeren. Na een blik op Madame, die al flink was beginnen te zwaaien met haar stok, besloot ze voor haar veiligheid te kiezen en weer naar boven te klimmen. Onderweg schudde ze meer dan eens het hoofd. Ze besefte maar al te goed dat ze deze keer meer kans had gehad om te ontsnappen als ze gewoon langs de voordeur was gegaan.

Het huis van Kristof en Nathalie was verrassend klein. Hun eigen huis paste er nog altijd twee keer in, maar ten opzichte van dat van Margaux was het tenminste normaal. Ze hadden wel een zwembad, waarin de jongste zus van Kristof aan het spelen was. Hier werd het zwembad dus wel gebruikt, een hele opluchting voor Candice.
De rest van het feestje leek op het eerste gezicht hetzelfde als de vorige keer, maar dat was voornamelijk omdat hetzelfde volk aanwezig was. Ze dronken champagne aan het zwembad - Kristof schonk de flessen wel zelf uit - en kletsten wat. In het begin ging het vooral over de inbraak bij Cedric thuis.
'Ik mag er niet aan denken dat ze bij ons binnen zouden zitten', zei Margaux. 'Stel je voor dat ze onze wijnkelder vinden. Dan zou al onze champagne weg zijn!'
'Ik heb papa al gevraagd om een extra alarm in mijn kamer te plaatsen', pikte Charlotte erop in. 'Dan kunnen ze niet bij mijn kleerkast.'
Cedric liet zich de aandacht welgevallen. De meisjes behandelden hem alsof hij was aangevallen door een bende gangsters en net drie maanden in het ziekenhuis had doorgebracht. Ze vroegen de hele tijd of het wel ging met hem en of ze nog iets voor hem konden doen.
De gesprekken over de inbraak gingen al snel over in de gebruikelijke onderwerpen. Candice had het moeilijk om over alles mee te praten, want ze was nog op geen enkele plek geweest waarover ze spraken en had ook geen idee hoe vervelend het kon zijn als je vader voor je

verjaardag een kasteel afhuurde, maar de palmwuivers vergat te bestellen. Noor daarentegen had er geen enkele moeite mee. Candice' ogen werden groot toen ze Noor haar verhaal hoorde vertellen.
'Je had het moeten zien. Zo fantastisch was het! De paarden galoppeerden twee per twee en sprongen langs elke kant van het huis de tuin in. Mijn zussen en ik waren helemaal verrast. Madame was nergens te bekennen, dus we vermoedden al wel dat de verrassing van haar kwam.'
Candice moest zich even inhouden toen ze hoorde dat ook Eva, Eline en zij erbij betrokken werden. Benieuwd luisterde ze verder naar de fantasieën van Noor.
'En het klopte. Een van de paarden droeg een briefje op zich. "Stap op", stond erop. Dus dat deden we. We zaten nog maar net op de paarden en ze begonnen weer te rennen. Ze waren trouwens prachtig, helemaal wit, het mooiste ras dat ik al gezien heb. Wij wisten helemaal niet waar ze naartoe gingen.'
Volgens Candice wist Noor dat nu nog steeds niet. Witte paarden gestuurd door Madame?
'Paarden, superleuk!' zei Charlotte. 'Ik hoop dat er ook witte paarden zijn op de topjumping.'
Candice wilde vragen wat de topjumping was, maar ze hield zich in. Dat was waarschijnlijk zo vanzelfsprekend dat het een domme vraag zou zijn.
'Ik denk het wel', zei Nathalie. 'Volgens de site komen alle toppers uit de buurlanden. Dan zal er toch wel minstens een witte bij zijn?'

'Ik hoop het', zuchtte Charlotte. 'Maar ik heb je onderbroken, Noor. Je was nog aan het vertellen?'
'Bleek dat we op een enorm zeiljacht moesten zijn', nam Noor haar verhaal weer op. Ze had even de tijd gehad om na te denken. 'Nu ja, ik was wel een beetje teleurgesteld, want de boot had maar vier masten en de beste zeiljachten hebben er toch minstens vijf. Maar het was wel cool hoe de paarden ons afzetten op de boot. We hoefden niet eens af te stappen, ze sprongen met een grote boog op het achterdek.'
'Op de Gouden Regatta zullen ook wel veel vijfmasters zijn', onderbrak Charlotte Noor nog eens. 'Wie gaat er allemaal naartoe?'
Iedereen stak bijna automatisch zijn hand op. De armen van Noor en Candice gingen aarzelend omhoog. Ze wisten niet wat het was, maar als iedereen ging, konden ze niet ontbreken.
'Maar sorry, Noor', zei Charlotte. 'Nu doe ik het weer. Ga verder.'
'Wel, eh, op het dek stonden dan ligstoelen klaar en aan elke stoel een ober met een cocktail.'
Noor haperde even toen ze zag dat niemand onder de indruk was van de cocktail. Haar einde had wat meer nodig om indruk te maken.
'Gemaakt van champagne natuurlijk', voegde ze eraan toe en meteen knikten alle aanwezigen instemmend. 'En dan kwam Coldplay nog optreden op de boot, een concert voor ons helemaal alleen.'
'Tof, hé', zei Margaux. 'Ik heb Milk Inc. eens bij ons

thuis gehad. Dat is veel leuker dan tussen al die zwetende mensen te moeten staan.'
'Dat was echt wel een toffe verjaardag', zei Kristof tegen Candice.
Die moest moeite doen om niet met haar ogen te rollen.
'Ja hoor. De verjaardag van Noor is altijd reuzeplezierig. En dan heeft ze nog niets gezegd over die keer dat Madame een piramide in Egypte had afgehuurd om een feestje te geven.'
'Ach,' wuifde Noor naar Candice, 'dat was omdat ik twaalf werd. Dan doe je toch altijd iets speciaals?'
'Klopt', bevestigde Margaux. 'Toen ik twaalf werd, kreeg ik een zwembad vol M&M's, omdat ik daar zo dol op was. Maar het was nogal warm die dag en alle M&M's waren gesmolten. Ik heb de hele dag gezwommen in warme chocoladesaus met nootjes!'
De andere meisjes gierden van het lachen. Candice deed alsof ze mee lachte, maar eigenlijk kon ze alleen maar bedenken dat Margaux wel in een zwembad met chocolade zwom, maar niet in een zwembad met water. Ze keek stiekem naar Kristof en zag dat ook hij niet echt lachte.
'Je kleren zullen er wel bruin hebben uitgezien, merkte Cedric op. 'Je hebt ze toch naar Kristof gebracht om ze wit te laten wassen?'
De anderen lachten ingehouden, het was een ongemakkelijke lach. Candice begreep de opmerking niet, maar het was duidelijk dat Cedric iets gemeens had gezegd. Kristof deed alsof hij niet had geluisterd en

staarde onbewogen voor zich uit. Ook Nathalie reageerde niet.
Cedric had nog niet veel gezegd. Af en toe keek hij verliefd naar Candice, maar hij durfde haar niet aan te spreken. Candice vond het goed zo.
'Ik heb zin in een spelletje', kreunde Margaux om een aankomende ongemakkelijke stilte te vermijden. 'Wat denken jullie van *Waarheid of zoen*?'
De aanwezigen juichten het voorstel onmiddellijk toe. Candice en Noor kenden het spel niet, maar knikten voorzichtig. Margaux nam enkele tandenstokers uit een potje en vormde er de letters W en Z mee. Ze legde de letters op een afstand van elkaar op de tafel. Daarna goot ze het laatste restje uit de fles champagne die op tafel stond in haar glas en legde de fles tussen de letters op de tafel.
'Wie begint er? Misschien een van de nieuwkomers?'
'Ja, Candice!' riep Charlotte.
Candice wilde protesteren, maar ze werd onmiddellijk naar voren geduwd door Cedric. Ze vermoedde dat hij de gelegenheid aangreep om haar toch even te kunnen aanraken.
'Ik weet niet hoe het spelletje gaat', mompelde Candice verlegen.
'Het is heel eenvoudig', legde Margaux uit. 'Je draait de fles in het rond en als de hals naar de W wijst, dan moet je eerlijk op een vraag antwoorden. Wijst de fles naar de Z, dan moet je iemand een zoen geven.'
'En mag je zelf kiezen wie je een zoen geeft?' vroeg

Candice.
'Natuurlijk niet', grijnsde Charlotte. 'Dat bepalen wij.'
Candice had geen zin om op vragen te antwoorden. Dan zou ze weer moeten liegen. Zoenen wilde ze eventueel wel doen, maar niet met iedereen. Ze boog voorover naar de tafel en draaide aan de fles. W.
'Wie heeft er een vraag voor Candice?' kirde Margaux, helemaal in haar element.
'Ik!' zei Nathalie enthousiast. 'Een gemakkelijke omdat het je eerste keer is. Wanneer geef je nog eens een feestje? Ik vond het vorige wel leuk.'
Candice glimlachte haar dankbaar toe. Dat was inderdaad een gemakkelijke vraag.
'Ik weet het niet. Vorige keer was Madame nogal boos. Maar ik vermoed dat het vanaf volgende maand wel weer kan. En dan zijn jullie zeker uitgenodigd!'
Candice had meteen spijt van die woorden. Wilde ze hen wel allemaal bij hen thuis? Ze zou in elk geval geen champagne kunnen serveren.
'Weer in dat kleine huisje?' merkte Cedric plots op. 'Ik snap niet dat jullie daar met zoveel in kunnen leven.'
Candice' mond viel open. Wat een onbeschofte, neerbuigende opmerking. Ze wilde iets gemeens terugzeggen, maar Noor snoerde haar de mond.
'Wij wonen daar niet, hoor! Dat is alleen maar ons huis voor feestjes. Madame heeft het speciaal daarvoor bijgekocht. Ze wil niet dat haar huis elke keer vuil is als wij iets organiseren.'
Tot Candice' verbazing knikte iedereen begrijpend. Ze

vonden het niet meer dan normaal dat je een huis kocht om alleen maar feestjes in te geven.
'Slim', zei Charlotte. 'Ik vraag papa al jaren om een feesthuis, maar hij wil dat ik eerst met een goed rapport naar huis kom.'
'Nou, dan zul je nog lang kunnen wachten!' lachte Margaux. 'Jouw punten zijn zo laag dat je je moet bukken om erbij te kunnen.'
De anderen lachten duchtig mee. Charlotte bloosde even, maar ging dan meteen in de tegenaanval.
'Daar heb jij natuurlijk geen last van. Je hoeft je zelfs niet te bukken om iets op te rapen. Jij bent zo klein dat je rechtopstaand een koe kan melken.'
De lachsalvo's werden luider. Iedereen keek nu naar Margaux, in de hoop dat zij ook iets gemeens zou terugzeggen. Maar Margaux zweeg. De opmerking over haar lengte had haar duidelijk geraakt.
'Wie is de volgende?' kwam Nathalie dan maar tussenbeide. Ze probeerde de sfeer erin te houden.
'Misschien moet jij eens, Kristof?'
'Vooruit dan maar', zuchtte Kristof.
Hij draaide aan de fles. W.
'Wat doen jullie nu eigenlijk precies?' vroeg Cedric.
'Wij hebben een aantal...' begon Kristof, maar Cedric onderbrak hem meteen.
'En kom nou niet opnieuw af met die wassalons! Daar kun je geen zwembad van bouwen, hoor.'
Kristof haalde zijn schouders op.
'Tja, als je dat niet gelooft.'

Candice begreep het niet goed. Waarom deed Kristof zo mysterieus over zijn ouders? Schaamde hij zich voor hen? Of waren er dingen die hij niet wilde vertellen?
'Ik geloof er geen snars van', zei Cedric. 'Maar ja, als ik naar de schrijfwijze van je naam kijk, weet ik eigenlijk genoeg.'
Cedric schudde opzichtig het hoofd, terwijl hij een schokkend lachje produceerde.
'Een K en een F...'
Kristof klemde zijn lippen op elkaar. Hij liet zich niet opnaaien, maar Candice zag dat hij zin had om Cedric bij zijn kraag te grijpen en in het zwembad te gooien. Ze vond het een beetje spijtig dat hij dat niet deed. Cedric nam ondertussen de fles.
'Goed, mijn beurt!'
De fles bleef hangen halfweg de Z en de W.
'Dat is overduidelijk een Z', zei Cedric. 'Wie geeft de opdracht?'
'Ik vind dat je Candice moet kussen', zei Margaux nog voor Cedric uitgesproken was. Dat hadden ze op voorhand afgesproken!
Cedric grijnsde breed en deed een stap naar voren. Candice zuchtte iets te hoorbaar en wierp een blik op Kristof. Die deed teken dat er geen ontkomen aan was. Dat was nu eenmaal het spel. Toch zag Candice teleurstelling in zijn ogen. Of hoopte ze dat alleen maar? Cedrics lippen kwamen op haar af. Net als vorige keer, alleen kon ze hem deze keer niet tegenhouden. Ze draaide haar wang naar hem toe. Maar Cedric

manoeuvreerde zich er handig omheen en drukte een natte kus op haar mond. En hij hield vol zo lang hij kon, tot Candice haar hoofd achteruit trok.
'Bravo!' applaudisseerden Margaux en de anderen. 'De volgende!'
Terwijl Nathalie aan de fles draaide, richtte Candice zich tot Kristof.
'Ik moet even naar het toilet. Waar is het?'
Ze wilde de smaak van Cedrics lippen wegspoelen. Ze wist dat het maar een spelletje was, maar toch vond ze het niet leuk.
'Als je het huis binnenstapt, de eerste deur rechts', wees Kristof.
Candice verwijderde zich van het groepje. In de verte hoorde ze Margaux nog vragen aan Nathalie of ze twee auto's niet wat weinig vond voor een gezin. Candice stapte het huis binnen. Voor haar was een trap en rechts zag ze de deur van het toilet.
Plots herinnerde ze zich weer de opdracht van Madame. Ze moesten een oogje in het zeil houden bij de dure huizen. Veel tijd hadden ze daar nog niet in gestoken. Misschien was dit haar kans om toch iets te doen, want het adres van Kristof stond ook op de lijst.
Ze keek even achterom. Net omdat ze bij Kristof was, wilde ze het liever niet doen. Hij zou het vast niet leuk vinden en misschien zou hij haar dan ook niet leuk meer vinden.
Maar hij hoefde het helemaal niet te weten te komen. Als ze nu gewoon heel even... Ze zou niet lang

wegblijven. Dat wilde ze ook niet, want dan dacht Kristof misschien dat ze zware buikkrampen had en erg aantrekkelijk was dat niet.
Niemand lette op haar. Nu. Candice liep snel de trap op. Boven waren er vijf deuren. Ze koos de eerste en kwam in een slaapkamer terecht. Het zwarte bed was modern en toch gezellig door de grote rode dekbedovertrek. Links stond een kast uit hetzelfde hout als het bed en aan de muur hingen kleurige schilderijen. Een prachtig, donker nachtkastje maakte het geheel compleet. Dit was vast de kamer van de ouders.
Wat zocht ze eigenlijk? Dingen die niet klopten, had Madame gezegd. Maar hoe wist ze wat er klopte en wat niet? De schilderijen aan de muur leken duur, maar zeker was ze er niet van. En was het niet normaal dat er in een groot duur huis grote dure schilderijen hingen? Dit was geen goed plan. Ze moest terug naar de anderen. Candice sloot de deur en stapte de hal weer in. Ze bleef stokstijf staan.
Ze stond oog in oog met een nors kijkende man met grijs haar. Zijn maatpak was een beetje verfomfaaid, waardoor hij een nonchalant chique look kreeg. Dat moest de vader van Kristof zijn.
'Wat doe jij hier?'
'Ik, eh... Ik zocht het toilet.'
Het was niet eens zo hard gelogen.
'Dat is hier niet.'
'O. Waar dan wel?'
Candice bekeek de man wat beter. Ze herkende hem,

maar kon hem niet meteen thuisbrengen.
'Beneden, vlak naast de deur. Hoor jij bij het feestje?'
Candice knikte.
'Ja, het feestje van Kristof.'
'Ga er dan maar snel weer naartoe. Het is niet zo beleefd om in het huis van je gastheer rond te neuzen.'
De man keek haar streng aan. Candice kon hem niet eens ongelijk geven. Ze glimlachte verlegen en liep de trap weer af. Toen ze bijna halfweg was, schoot het haar te binnen. Het was de man die ze hadden gezien bij McDonald's!
Ze keek weer naar boven, maar ze zag niemand. De man was verdwenen. Candice kneep in haar beide kaken. Zag ze spoken? De papa van Kristof kon toch niet de dief zijn die Madame zocht? Had ze wel goed gekeken?
In gedachten verzonken wandelde ze weer naar de anderen.
'Daar ben je!' zei Kristof. 'Heb je het gevonden?'
Candice knikte, maar terwijl haar hoofd op en neer ging, besefte ze al dat ze een nieuw probleem had. Een dringend probleem.
Ze moest echt naar het toilet.

10 I can't live, if living is without shoes

'Oké, dames, vertel eens', zei Madame. 'Wat hebben jullie al ontdekt?'
Candice beet haar tong bijna in twee van de twijfel. Moest ze iets zeggen of niet? Sinds het feestje van Kristof, nu al een week geleden, kon ze aan niets anders denken dan aan haar ontmoeting met zijn vader. Hoe meer ze erover nadacht, hoe minder zeker ze ervan was dat het dezelfde man was van bij McDonald's. Ze had hem tenslotte maar heel kort gezien en alle mannen met grijs haar en een kostuum lijken op elkaar.
Maar het was niettemin een spoor dat onderzocht moest worden. Alleen had Candice schrik dat ze op die manier haar kansen bij Kristof zou verknallen. Wat moest ze zeggen als het een heel andere man bleek te zijn? Sorry, hoor, ik dacht even dat je vader een gewetenloze dief was, maar ik zat fout. Zullen we dan nu kussen?
Daarom had ze besloten om het zelf op te lossen.

Tenslotte zat ze in een uitstekende positie om een oogje in het zeil te houden. Door met Kristof om te gaan, kon ze ook ontdekken wat voor iemand zijn vader was. Kristof had haar gebeld om nog een keer af te spreken, dus ze was de ideale spionne. Ze was perfect geplaatst om het aangename aan het nuttige te koppelen. En toch bleef een stemmetje in haar hoofd haar vragen waarom ze dat dan niet aan de anderen durfde te zeggen.
Madame keek de meisjes een voor een aan. Ze zaten op de zolder en de Mystery Girls keken meer naar de grond dan naar Madame. Erg veel hadden ze nog niet gedaan.
'Noor, wat heeft het internet je geleerd?'
Candice was benieuwd naar wat Noor zou zeggen. Ze had vooral op sites gezeten waar je dure kleren goedkoper kon bestellen en sites over exclusieve events zodat ze haar verzonnen verhalen wat kon stofferen.
'De inbraken vinden plaats volgens een bepaald patroon', zei Noor. 'In de wijk waar Cedric woont zijn er drie geweest, niet meer. En dat zien we ook in de wijken in de andere gemeenten. Hooguit drie inbraken, nooit meer.'
'Ze zijn slim', mompelde Madame. 'Ze nemen geen risico. Andere dieven zouden hebberig zijn, zij niet.'
'Maar er zijn ook uitzonderingen', ging Noor verder. 'In sommige wijken is er nog maar één inbraak geweest. Daar is er dus een kans dat de dieven nog eens zullen toeslaan. En dan is er natuurlijk de inbraak hier.'
Eva sprong bijna onmiddellijk op.
'De smerige, laaghartige, onfatsoenlijke, gruwelijke en

ongelooflijk gemene inbraak, wil je zeggen? Ik denk niet dat dat een uitzondering was. Ik denk dat dat hun topprioriteit was, hun masterplan.'
Madame hief haar hand om aan te geven dat ze weer moest gaan zitten. Ze gebaarde naar Noor om verder te gaan.
'Ik denk dat het vooral een uitzondering is, omdat het daarbij zal blijven. Ik denk niet dat er in onze wijk nog twee inbraken zullen gebeuren. Dus de vraag blijft: wat hadden de dieven hier te zoeken?'
'Natuurlijk zullen ze hier geen inbraken meer doen', mompelde Eva. 'Ze hebben alles wat ze wilden.'
Madame haalde haar tablet boven en noteerde wat Noor had gezegd.
'Noor, geef je me door welke wijken het risico lopen op nieuwe inbraken? Dan kunnen we daar surveilleren.'
Noor knikte en schreef het op haar arm. Madame richtte zich tot Eva.
'Al succes gehad met de draad van de trui?'
Eva nam een stapel papier en gaf de meisjes en Madame een blad. Candice bekeek het blad dat ze had gekregen. Er stonden veel chemische formules op waarvan ze niets begreep.
'Ik zal jullie de technische uitleg besparen', begon Eva. 'Het komt erop neer dat ik de draad die Madame had gevonden heb ontleed en vergeleken met de stof die ik heb gevonden op het parkeerterrein aan McDonald's. De match is 99 procent.'
'En wat betekent dat?' vroeg Eline.

'Dat de chauffeur die we hebben gezien dezelfde is die hier binnen is geweest. Die man die zijn vrachtwagen als rekstok gebruikte.'
'Het gaat dus zeker om dezelfde bende', zei Candice.
In haar achterhoofd had ze altijd gedacht dat de schoenen van Eva op een andere manier verdwenen waren. Ze kon er niet bij dat een dievenbende het ene moment peperdure schilderijen stal en het andere moment de schoenenkast van Eva leegroofde.
'Natuurlijk gaat het om dezelfde bende', zei Eva. 'Dat wist ik al langer, maar nu is het ook bewezen.'
Madame nam de tablet opnieuw en toonde hem aan de meisjes. Er stonden allerlei foto's op en onder elke foto stond een naam.
'Ik heb een lijst gekregen van de werknemers van het transportbedrijf.'
Ze gaf de tablet aan Candice. Die scrolde snel door de foto's. Haar zussen keken nieuwsgierig mee over haar schouder. Ze zagen een grote variëteit aan gezichten, maar geen enkel kwam overeen met de mannen die ze hadden gezien op het parkeerterrein.
'En?' vroeg Madame.
Candice schudde het hoofd.
'Ze zijn er niet bij.'
'Dat vermoedde ik al', zei Madame. 'Maar ik wilde graag een dubbelcheck. De chauffeurs die normaal met de vrachtwagens rijden die gebruikt zijn bij de diefstallen, zijn ondertussen ook al ondervraagd. Ze hebben allemaal een perfect alibi. Ze hebben zelfs nooit het

vermoeden gehad dat hun vrachtwagens gebruikt werden op momenten dat zij er niet mee reden.'

Candice bleef door de gezichten gaan. Misschien zaten er oude foto's tussen. Personeelsfoto's werden meestal alleen getrokken bij de aanwerving. Na tien jaar zagen de meeste mensen er helemaal anders uit dan hun pasje aangaf. Maar ze vond geen enkele gelijkenis met de spierbundels van op het parkeerterrein.

'Met een vrachtwagen mag je toch niet zomaar rijden?' mompelde ze.

'Heb ik ook al aan gedacht', zei Madame. 'Misschien moeten we de gegevens van andere transportbedrijven opvragen. Noor, kan jij een overzicht maken?'

Noor schreef het bij op haar arm. Het was een gewoonte die ze al heel lang had. Het werkte bij haar beter dan een agenda. Maar nu ze in de buurt van Charlotte en co steeds meer jurkjes droeg, zou ze daar toch mee moeten opletten. Het zou lijken alsof ze tatoeages had en Candice wist niet of rijke mensen dat cool vonden.

'Ik heb nog één ding', zei Madame.

Ze haalde een doorzichtig plastic zakje uit een tas die naast haar stond. Er zat iets bruins in. De meiden deinsden bijna tegelijkertijd achteruit. Wat had Madame bij? Hoorde dit bij een of andere training? Eline was de eerste die iets durfde te zeggen.

'Madame, ik hoop dat dat van een hond is en niet van u.'

'Van een hond?'

Madame keek van haar dochters naar het zakje en begon dan luid te lachen. Ze wreef over haar maag.

'Ik zou graag hebben dat jullie dit onderzoeken. Ik kan de laatste tijd nogal moeilijk naar het toilet en de dokter vindt niet wat het is.'
Candice trok haar neus op. Sinds wanneer viel Madame hen lastig met haar persoonlijke gezondheid? Toen ze zag dat de meisjes haar vies bleven aankijken, haalde Madame de glimlach van haar gezicht.
'Meisjes, serieus nu. Dit stuk modder heb ik gevonden bij Cedric thuis. Alles was er voor de rest piekfijn, dus ik denk dat het van de schoenen van een van de inbrekers is gekomen.'
Eline was daar niet zo zeker van.
'Was de politie ook al niet geweest?'
'Ja, maar niet in het stuk waar ik gezocht heb. Dit lag helemaal tegen de muur, aan de plinten. Op een plek waar de inbreker moet hebben gestaan om het schilderij van de muur te halen. Hij heeft kracht gezet op zijn ene schoen en daardoor is de modder eraf gevallen.'
Candice was een beetje teleurgesteld. Was dat alles dat Madame had ontdekt in het huis? Daarvoor had ze zich bijna laten kussen door Cedric.
'Dat kan toch van overal komen?' zei Candice.
Madame opende het zakje. Ze hield het onder de neus van Candice. Die trok meteen weg, het zakje stonk.
'Dat kan zijn,' zei Madame, 'maar de meeste modder stinkt niet zo hard. De dieven zijn ergens geweest waar het stonk. Het kan een aanwijzing zijn.'
Ze gaf het zakje aan Eva, die het met tegenzin aannam.
'Haal jij het eens door de stoommachine?'

Eva knikte en hield het zakje ver voor zich uit.
'Ik hoop dat de machine dat overleeft', antwoordde ze. 'Ik heb er al vieze dingen door gehaald, maar dit stinkt echt hard!'
Madame negeerde Eva's opmerking en sloot de vergadering. Ze moedigde iedereen aan om goed de ogen open te houden. Toen ze beneden kwamen, keek Eva ongerust op haar horloge.
'Is het al vier uur?'
Zonder meer uitleg te geven, liep ze gehaast naar de televisie. Ze zocht naar de afstandsbediening, vond die niet hoewel ze gewoon op de televisie lag en drukte dan maar op de knop op het toestel zelf. De beelden van de regionale televisiezender verschenen op het scherm.
'Sinds wanneer ben jij geïnteresseerd in het nieuws?' vroeg Noor.
'Ssst', was het enige dat uit Eva's mond kwam. Ze wees naar het scherm.
Het nieuwsanker gaf uitleg over hoe astronauten in een ruimtestation met een gebroken toilet zaten. De arme ruimtemannen moesten het zelf herstellen. Candice moest lachen.
'Dan heb je zo hard gestudeerd om astronaut te worden en dan moet je een toilet herstellen!'
'Ssst', deed Eva opnieuw.
'*I'm gonna send him to outer space, to find a new wc*', neuriede Candice zachtjes. Noor en Eline moesten lachen, Eva hief alleen haar hand op om aan te geven dat ze moesten zwijgen.

'Nieuws uit eigen streek dan', kondigde de nieuwslezeres aan.
'Nu komt het!' glunderde Eva.
'Ssst', siste Noor met een vinger voor haar mond.
'Wie de voorbije week heeft rondgekeken heeft ongetwijfeld een van deze opmerkelijke affiches zien hangen.'
Eva's schoenenaffiche verscheen in beeld. Eline, Candice en Noor keken met gefronste wenkbrauwen naar de televisie.
'Wij gingen op zoek naar de maker van die affiches', besloot de nieuwslezeres, waarop beelden van hun huis en Eva's kast werden getoond. Een lichte mannenstem gaf commentaar.
'De jonge Eva raakte al haar schoenen kwijt bij een inbraak. Ze besloot echter niet bij de pakken te blijven zitten en op zoek te gaan naar haar verloren liefde.'
'Verloren liefde?' vroeg Candice.
'Die woorden heb ik hem aangepraat', grijnsde Eva.
'Hoezo, aangepraat?' vroeg Candice. 'Wanneer heb jij dan...?'
Haar vraag werd al deels beantwoord toen Eva zelf in beeld kwam. Ze was er in elk geval in geslaagd om de verdwijning van haar schoenen in de verf te zetten.
'Ik weet niet wie zoiets doet', zei de Eva op tv met een schokkende stem. 'Het kan alleen een harteloze bruut geweest zijn. Iemand die weet hoeveel ik van mijn schoenen hou. Iemand heeft mij persoonlijk willen kwetsen.'

Daarop pinkte ze een traantje weg en deed ze teken dat ze even niet meer kon praten. De reporter nam over.
'Maar hoezeer het haar ook kwetste, Eva besloot hier een positieve les uit te trekken.'
Eva kwam weer in beeld.
'Ik besef nu heel hard hoe erg het is voor mensen om geen schoenen te hebben. Daarom heb ik besloten een actie op te zetten: "Geen doen zonder schoen". Mensen kunnen een van onze vele soorten schoenen kopen. De opbrengst ervan gaat uiteraard naar een goed doel: schoenen voor arme kinderen.'
Onder aan het scherm verscheen een rekeningnummer. Daarna kwam ook de reporter zelf in beeld. Hij was nog jong en had een brede glimlach die zelfs tandpastamerken overdreven zouden vinden.
'U ziet het, dames en heren. Een gekwetst hart wordt zo een groot hart. Want het draait niet alleen om de schoenen. Die zijn vooral een symbool van waardigheid en respect. En daar heeft iedereen recht op.'
De camera zwenkte weer naar Eva, die met een glimlach haar schoenen tentoonstelde: er waren schoensleutelhangers, schoensnoepjes, snoepschoenveters, buttons met '*I love shoes*', schoenen van papier, postkaarten met de verschillende soorten schoenen en kussens waarop je je favoriete schoenen kon laten drukken. Op het beeld verscheen ook een telefoonnummer.
'Is dat niet ons telefoonnummer?' vroeg Eline verbaasd. Alsof de telefoon haar had gehoord, begon hij

bevestigend te rinkelen. Madame kwam de kamer binnen en wandelde ernaartoe. Eva maakte een kattensprong en was net voor Madame bij de hoorn. 'Geen doen zonder schoen', sprak ze.
Madames wenkbrauwen gingen de lucht in.
'Sinds wanneer heten wij zo?'
'Sinds Eva weer eens een lumineus idee heeft gekregen', antwoordde Noor. 'Maar het zal niet zo lang duren. Wie koopt er nu in 's hemelsnaam zulke schoenspullen?'
Madame schudde het hoofd en liep verder naar de keuken. Ze had geleerd om niet meer versteld te staan van alles wat de meiden uitspookten. Als ze dat wel zou doen, zouden haar haren op slag grijs worden.
Ook Candice reageerde niet op Noors vraag. Met een goed doel wist je nooit. Daar trokken mensen al snel hun portefeuille voor open. Ze keek naar Eva, die ondertussen een schriftje op haar schoot had gelegd en er ijverig in noteerde.
'Dus een zakje rode schoenveters voor de kinderen en een pakje van vijf postkaarten. Heeft u een voorkeur voor schoenen of mag het een mix zijn? Een mix, fantastisch. Zodra u het geld gestort heeft, komt uw bestelling eraan. Bedankt mevrouw!'
Eva haakte met pretoogjes in. Het duurde even voor ze opmerkte dat haar drie zussen haar vragend aankeken.
'Wat?'
'Dit is het moment waarop je uitleg geeft over alles waarmee je bezig bent', legde Noor uit.
'O. Dat', begon Eva met een glimlach. 'Gewoon een

project van mij. En een dat goed draait, mag ik wel zeggen!'
'Sinds wanneer ben jij een goede fee geworden die aan de voeten van arme kinderen denkt?' vroeg Eline.
'Ik moet toch iets doen om mijn schoenen terug te krijgen?' reageerde Eva, alsof het de normaalste zaak ter wereld was dat iemand die iets kwijt was meteen een campagne opzette. 'En als ik ze niet terug kan krijgen, dan kan ik misschien wel genoeg geld verdienen om er nieuwe te kopen.'
'Ik dacht dat de opbrengst naar de arme kinderen ging?' merkte Candice op.
'Naar arme kinderen zonder schoenen', knikte Eva. 'En ik heb geen schoenen, dus ben ik arm!'
De telefoon rinkelde opnieuw.
'En als jullie me nu willen excuseren? Ik heb een zaak te runnen!'
Eva leunde achterover, nam de telefoon en beantwoordde hem als een directrice van een groot bedrijf.
'Straks moeten wij nog meewerken om al haar schoenspullen te maken', grinnikte Noor. 'Dan heeft ze haar eigen bedrijf: Mystery Girls & co.'
'Of Eva & zussen', lachte Candice mee. 'Ach, zo'n vaart zal het wel niet lopen. Zoveel volk kijkt er niet naar die zender.'
Ze lieten Eva achter in de woonkamer en stapten naar de keuken. Eline liep naar haar kamer, waar ze nog nauwelijks uit kwam sinds ze huisarrest had gekregen.

In de keuken zat Madame te prutsen aan haar golfuitrusting. Noor nam een glas water, dronk ervan en richtte zich met een ernstige blik tot Candice.
'Binnenkort gaat iedereen naar de Gouden Regatta. Heb je zin om mee te gaan?'
Charlotte had er op het vorige feestje al eens iets van gezegd. Wat het precies was, wist Candice niet, maar het klonk als iets waar ze zich schromelijk zou vervelen. Ze had veel zin om meteen nee te zeggen, maar om Noor niet te kwetsen, wachtte ze daar nog mee.
'Wat voor iets is het eigenlijk?'
'Ik heb een beetje info opgezocht, want ik durfde het niet te vragen. Het is iets met zeilboten. Het fijne weet ik er ook niet van. Er is een wedstrijd voor de zeilers, maar het is blijkbaar leuk om in het publiek te zitten. Iedereen is aan het kletsen, er staat muziek op en je drinkt er...'
'Champagne zeker?' vulde Candice aan.
'Jep, zoveel je maar wilt.'
'Dus eigenlijk is het een feestje zoals de andere?'
'Min of meer', moest Noor toegeven. 'Maar deze keer aan het water, met overal zeilboten. Het zal echt tof zijn.'
Candice wist niet goed wat ze moest antwoorden. Het klonk wel leuk, zo'n feestje aan het water. Het was in elk geval iets wat ze nog nooit had gedaan. Maar als de vrienden van Noor weer zo gemeen tegen elkaar zouden doen, had ze er geen zin in.
'En moet je daarvoor betalen?' vroeg ze om haar beslissing wat uit te stellen.
'Ja, dat is het enige minder leuke', zei Noor met een

verwrongen gezicht. 'De kaartjes kosten driehonderd euro.'
'Driehonderd euro?' schrok Candice. 'Om naar zeilboten te gaan kijken?'
Dit maakte haar beslissing plots een stuk gemakkelijker.
'Sorry, zoveel geld heb ik er niet voor over.'
Candice nam op haar beurt een glas water. Ze moest die hoge prijs even doorslikken. Noor had deze keer echt wel de verkeerde vrienden gekozen. Candice probeerde te bedenken hoeveel kleren ze voor dat geld kon kopen. Daar had ze meer plezier van dan van een zeilbotenrace.
'En hoe ga jij dat betalen?' vroeg ze aan Noor.
Die haalde haar schouders op.
'Ik heb geen geld meer. Ik hoop op een gulle mecenas.'
Ze knikte naar Madame.
'Je kunt toch ook gewoon een keertje niet gaan?' stelde Candice voor. 'Dat zou je heel wat geld besparen.'
'Dan denken ze zeker dat ik arm ben', reageerde Noor gebeten. 'Ik kan nu niet met uitvluchten komen.'
'Laat ze toch denken wat ze willen', zei Candice. 'Ze vinden jou toch leuk? Dan maakt het toch niet uit hoeveel geld je hebt?'
'Je kent hen duidelijk nog niet goed', glimlachte Noor triest. 'Ze zullen het ooit wel ontdekken, maar liever niet nu, oké?'
Candice stak haar handen in de lucht.
'Sorry, ik wilde alleen maar helpen.'
Noor legde haar hand op Candice' schouder.
'Dat weet ik.'

Daarna draaide ze zich om en ging ze aan de keukentafel tegenover Madame zitten. Ze zette haar gezicht op poesliefmodus en schraapte haar keel.
'Madame, zou ik wat geld mogen om met mijn vrienden naar een feestje te gaan?'
Madame tilde verward haar hoofd op en keek naar Noors lachende gezicht.
'Hm, ik zie dat je je overtuigingskracht goed aanwendt. Precies zoals ik het je heb geleerd.'
Dat was nog zoiets waarin Madame verschilde van andere moeders. Madame vond het niet goed dat ze om geld bedelden, maar ze kon het wel appreciëren als ze goed bedelden. Ze graaide naar haar handtas en haalde er een portefeuille uit.
'En hoeveel kost dat feestje? Tien euro?'
'Eh, driehonderd', zei Noor zacht.
'Drie?'
'Honderd.'
Madames wenkbrauwen vlogen bijna tot boven haar hoofd.
'Driehonderd euro?'
Ze stak haar portefeuille meteen weer in haar handtas.
'De blik om zoveel geld te krijgen, heb ik jullie nog niet aangeleerd, hoor', glimlachte ze. 'En dat zal ook niet snel gebeuren!'

11 You are gold

Ook rijke mensen kunnen heel gewoon zijn. Dat besefte Candice maar al te goed toen ze Kristofs boze moeder in de deuropening zag staan. Ze zaten samen op zijn kamer en zijn moeder was kwaad omdat Kristof nog niet had gestofzuigd. Blijkbaar hadden niet alle mensen met veel geld butlers en een kuisploeg. Hoewel het niet het moment was – de blik van Kristofs moeder stond echt op onweer – moest Candice glimlachen. Ze vond het geweldig dat zijn moeder zoiets vroeg. Het betekende dat ze ten huize Kristof toch een beetje normaal waren.
'Ik help je wel', zei Candice toen Kristofs moeder weg was.
'Nee, dat hoeft niet', zei Kristof meteen. 'Het is mijn kamer. Daar hoef jij niet voor op te draaien.'
Hij stond op, liep naar de gang en kwam terug met de stofzuiger.
'Maar toch bedankt', glimlachte hij.

Hij drukte op een knop en de stofzuiger schoot in gang. Kristof ging met enkele snelle bewegingen onder zijn bed en over de rest van de vloer. Daarna trok hij de stekker uit en zwierde de stofzuiger opzij. Kristof moest dan wel helpen poetsen, echt goed deed hij het niet. Maar was ook dat niet meer dan normaal?
'Hebben jullie geen poetsvrouw?' vroeg Candice, toen Kristof weer op het bed was komen zitten.
'Jawel, maar mama wil dat we onze kamer ook zelf blijven schoonmaken', zuchtte Kristof.
'Dat is een goed idee', knikte Candice. 'Het geeft je meer respect voor de poetsvrouw.'
'Zo kun je het ook bekijken', zei Kristof niet helemaal overtuigd. 'Maar toch stofzuig ik niet graag. Jij hoeft dat vast nooit te doen.'
'Toch wel', zei Candice. 'Madame staat erop.'
'Vreemd', zei Kristof met gefronste wenkbrauwen. 'Noor vertelde dat jullie een heel team van personeel hebben?'
Candice probeerde haar verbaasde reactie te onderdrukken. Dat was ze weer even vergeten. Ze wist niet welke verhalen haar al waren voorafgegaan. De laatste keer dat ze Noor iets had horen vertellen, waren daar paarden en een boot bij betrokken geweest. Wat personeelsleden konden er dus gerust nog bij.
'Ja natuurlijk', bromde ze. 'Maar het is een beetje zoals hier.'
Kristofs ogen lichtten op bij de bevestiging dat hij niet de enige was die moest meehelpen in het huishouden.
Candice beet op haar lip. Elke keer ze zoiets zei, maakte

ze de leugen nog een beetje groter. Wat als Kristof de waarheid zou ontdekken? Zou hij haar dan nog leuk vinden?
Maar vond hij haar nu eigenlijk wel leuk? Candice probeerde die vraag van zich af te schudden, maar dat was niet gemakkelijk. Onderweg naar hier had ze zich afgevraagd wat ze moest doen. Zou ze hem proberen te kussen? Of moest ze wachten tot hij actie ondernam? Het klikte best wel tussen hen, maar tegelijk besefte Candice dat ze elkaar nauwelijks kenden. Hij wist helemaal niets van haar echte leven. Maar was dat zo erg? Dan konden ze elkaar toch nog altijd kussen?
'Alleen heb jij geen zus die constant met paardenmest aan haar schoenen thuiskomt. Dat is typisch Nathalie. Dan is ze met de paarden gaan rijden en loopt ze het hele huis rond in haar rijlaarzen. Ik kan elke keer mee opruimen.'
'Rijd jij ook paard?' vroeg Candice.
'Nee, ik vind er niet zoveel aan. Ik ga liever voetballen, dat is wat minder stijf. Jullie wel zeker?'
Candice moest denken aan Noors verhaal over de paarden. Nu leek het alsof ze elke dag op een paard zaten. Misschien dacht Kristof wel dat ze te paard naar school gingen. Dan kon ze geen smoesjes meer verzinnen dat haar ketting eraf was gevallen. De mensen van het secretariaat zouden lachen als Candice zou vertellen dat ze te laat was omdat een van de hoefijzers van haar paard stuk was.
'Niet echt. We hebben het al weleens gedaan, maar ik

vind er ook niet zoveel aan.'
Kristof glimlachte. Weer iets dat ze gemeen hadden.
'Ik snap Nathalie soms niet. Nu is ze weer de hele tijd bezig met die topjumping. Ze gaat er de paarden verzorgen, de rijders ontvangen. Gewoon omdat ze dat leuk vindt, ze vraagt er zelfs geen geld voor.'
Candice was blij om zoiets te horen. Eindelijk eens iemand die niet alleen met geld was begaan. Al was het natuurlijk gemakkelijker om geen geld te vragen als je al zoveel geld had.
'Wanneer is die topjumping?'
'Ik weet het niet', antwoordde Kristof. 'Over enkele weken geloof ik. Ik denk niet dat ik er naartoe zal gaan. De hele tijd naar paarden kijken boeit me niet echt.'
'Waren het niet allemaal toppaarden?'
'Ja, maar zelfs dan', glimlachte hij. 'Waar ik wel naartoe ga, is de Gouden Regatta', begon Kristof over iets anders. 'Ga jij ook?'
Candice schudde het hoofd. Naar paarden keek hij niet graag, maar wel naar boten? Dat vond ze dan weer wat vreemd.
'Ik kan dat niet...', begon ze en stopte.
Ze keek Kristof even in zijn ogen. Grote blauwe ogen die haar verwachtingsvol aankeken. Was het niet beter om gewoon de waarheid te vertellen? Dat ze driehonderd euro ontzettend veel geld vond voor een feest met boten. Zou hij haar dan plots minder leuk vinden?
'Ik kon geen ticket meer krijgen', mompelde ze.
De waarheid was maar weer voor een andere keer. Ze

had geen zin om er nu aan te beginnen.
Beneden in het huis sloeg de voordeur toe. Kristof luisterde naar de voetstappen, die langzaam de trap op kwamen.
'Papa is thuis', zei hij zacht.
Candice' hart begon een beetje sneller te slaan. De man met het grijze haar was hier. Misschien had ze nu een kans om hem beter te bekijken. Om er zeker van te zijn dat hij dezelfde man was van bij McDonald's. Of zou het beter zijn dat hij haar niet zag? Misschien zou hij iets vermoeden.
Kristof nam ongewild haar twijfel weg door op te staan van het bed en de deur van de kamer te sluiten. Candice zou geen glimp van zijn vader opvangen.
'Anders komt hij weer binnengevallen', verduidelijkte hij. 'Hij is heel zenuwachtig sinds er is ingebroken. Hij wil voortdurend controleren of alle ramen en deuren dicht zijn.'
'Is er ingebroken?'
Bij Candice ging er een alarmbel af. Dit kon interessante informatie opleveren. Ze verbaasde zichzelf over hoe ze met twee dingen tegelijk bezig kon zijn. Het ene moment wilde ze Kristof kussen, het andere van hem horen wat er precies was gebeurd.
'Ja. Maandag, terwijl ik op school zat.'
'Is er veel weg?'
'Van mijn ouders wel, ja. Veel oude spullen, die best wel wat waard zijn.'
'En hoe hebben ze het gedaan?'

'Ik weet het niet. Papa vertelt er niet veel over.'
Kristof leek niet echt onder de indruk van de inbraak. Candice besefte dat ze niet te veel mocht pushen, dat zou verdacht zijn. Toch kon ze het niet laten om nog een vraag te stellen.
'En staat er iets op de camera's? Jullie hebben toch camera's?'
Kristof schudde het hoofd.
'Nee. Maar papa denkt er nu wel aan om er te plaatsen.'
Veel zou ze niet te weten komen. Candice zweeg en probeerde te bedenken wat ze nog kon vragen zonder als een inspecteur over te komen. Kristof was de inbraak echter alweer vergeten en veranderde het onderwerp.
'Je hebt dus nog geen ticket voor de Regatta?'
'Nee. Maar dat is niet zo erg', zei Candice. 'Ik hou toch niet zo van...'
Maar Kristof liet haar niet uitspreken. Uit zijn achterzak haalde hij een gouden kaart tevoorschijn.
'Dan heb ik goed nieuws', glunderde hij. 'Ik heb er eentje voor jou gekocht!'

Toen Candice buitenkwam, had Kristof haar nog steeds niet gekust. Hij had zelfs geen poging gedaan. Candice vond het niet eens zo erg. Ze hadden een heel leuke tijd gehad. Uren aan een stuk hadden ze gebabbeld en de tijd was voorbijgevlogen. Het voelde zo natuurlijk aan. En hij had een ticket van driehonderd euro gekocht voor haar. Dat maakte veel goed.
Candice nam het ticket uit haar handtas en trok eraan.

Het was echt. Ze kon nauwelijks geloven dat zo'n stom stuk papier zoveel geld waard was.
Een vreemd gevoel ging door haar heen. Eerst had ze helemaal niet willen gaan naar de Gouden Regatta. Ze had het een stom feestje gevonden, dat veel te duur was. Maar nu ze plots een ticket had, wilde ze er dolgraag naartoe. Ze had het gevoel dat ze erbij hoorde, dat ze ergens heen ging waar niet iedereen kon komen. Dat gevoel moest Noor ook hebben.
'Psst!'
Candice schrok zo hard dat ze het ticket uit haar handen liet glippen. Zachtjes dwarrelde het weg en kwam terecht in het gras naast de oprijlaan. Snel liep ze ernaartoe, raapte het op en stak het veilig weg in haar handtas.
Ze keek om zich heen. Er was niemand te zien.
'Candice!'
Iemand kende haar naam. Een vrouw. De moeder van Kristof? Candice keek naar de voordeur, maar die was gesloten. Speelde iemand een spelletje met haar?
'Ga je nog naar boven kijken? Hoe vaak heb ik je geleerd dat je alles in het oog moet houden?'
Op het dak van een van de zijbeuken van het huis zat Madame. Haar golftas stond naast haar en ze had een golfstok in de hand. Die hield ze voor een van de ramen. Wat was ze van plan?
'Wat doet u hier?'
Een vervelende gedachte schoot door Candice' hoofd. Was Madame hier om haar in het oog te houden? Normaal gezien bemoeide ze zich niet met hun

liefdeszaken. Tenzij ze een goede reden had.
'Komt u mij bespieden?'
Madame trok de golfstok weg van het raam en keek verbaasd naar beneden.
'Bespieden? Ik wist niet eens dat je hier was. Ik ben hier omdat er deze week is ingebroken.'
Madame wist al van de inbraak? Daar ging het nieuwtje dat Candice thuis had willen vertellen. Madame stak de golfstok weg en deed de tas om haar rug. Lenig klom ze naar beneden langs de muur, die nauwelijks uitsteeksels had. Candice zou het haar niet nadoen.
'Ik ben gewoon jullie werk aan het doen', ging Madame verder toen ze naast Candice stond. 'Want van de opdracht die ik jullie gegeven heb, komt niet veel in huis.'
Daar had ze wel een beetje gelijk in. De meiden waren veel met andere dingen bezig en weinig met hun taak. Toch wilde Candice dat niet zomaar toegeven.
'Wat dacht u dat ik hier aan het doen was?' protesteerde ze. 'Ik ben volop research aan het doen!'
Madame was niet onder de indruk.
'Research? Je zult de gestolen spullen niet achter de tong van Kristof vinden, hoor.'
'Ik heb hem helemaal nog niet gekust!'
Candice klemde haar tanden op elkaar. Ze had 'nog niet' gezegd. En dat was Madame niet ontgaan. Ze glimlachte breed en duwde Candice verder de oprijlaan af.
'Kom, we zijn hier weg. Jij mag hier officieel zijn, ik niet. En ik heb geen zin om ook iemand te moeten kussen!'

De woonkamer was helemaal omgevormd tot een fabriekshal. Overal lagen schoenen of afbeeldingen van schoenen. In de hoek van de kamer stonden dozen met inpakpapier en op de salontafel lag een verzameling enveloppen en postzegels. Terwijl Eva aan de telefoon hing, was Noor aan de tafel snoepveters aan het inpakken. Eline keek ongeïnteresseerd naar het gebeuren. Of het nu Eva was die voor haar neus zat of een dansende ijsbeer met een hoedje op, het kon haar niet schelen. Madame aanschouwde het even hoofdschuddend, maar liep dan snel door naar de keuken. Candice bleef wel staan.
'Heeft ze jou ook al ingeschakeld?' vroeg ze aan Noor.
'Niet echt', antwoordde Noor. 'Ik heb zelf aangeboden om wat te helpen.'
Candice keek van Noor naar Eva. Er klopte iets niet. Dat Noor haar zus hielp, was niet zo verwonderlijk. Ze hielpen elkaar wel vaker. Maar Noor vond het hele schoenengedoe van Eva belachelijk. Waarom zou ze haar dan helpen?
'Dat is lief', lachte Candice. 'Ik heb ook nog wat huiswerk liggen. Als je hier klaar bent, mag je daar altijd aan beginnen!'
'Alleen als ik ook je kamer mag poetsen', bromde Noor.
Candice liet zich op een stoel naast Noor zakken.
'*Help, I need somebody. Help, not just anybody. Help!*' zong ze zacht.
'Vergeet het maar', schudde Noor het hoofd. 'Ik doe alleen deze stomme snoepveters in deze stomme zakjes.

En dan is het genoeg voor vandaag.'
Candice wist dat ze gelijk had. Noor was tegen haar zin aan het helpen. Maar waarom? Ze opende haar handtas en nam haar lipbalsem. Ze tuitte haar lippen en wreef de stick erover. Toen ze hem weer wegstopte, viel haar oog op het ticket voor de Gouden Regatta. Dat was de reden!
'Jij wilt geld van Eva!' riep ze uit.
Noor legde haar vinger op haar lippen.
'Roep het nog wat harder! Oké, ik wil wat geld van haar. Maar ik hoef het niet te krijgen. Ik wil gewoon wat lenen.'
'Denk je dat ze het zal geven?'
'Waarom niet? Ze verdient genoeg. En anders vraag ik vanaf nu een uurloon.'
Ze draaiden hun hoofd tegelijk naar Eva. Die sprak op een zachte, maar kordate toon tegen een klant, terwijl ze ondertussen haar nagels bestudeerde.
'Schoenveters voor het feestje van uw dochter? Eens kijken mevrouw.'
Eva nam een boekje en bladerde erin. Ze knelde de hoorn tussen haar hoofd en haar schouder en schreef iets in het boekje.
'Die schoenveters zijn nog in voorraad. Dat moet lukken. Wat zegt u? Sorry, voor minder dan tien personen kunnen wij niet leveren. Tenzij u de buttons erbij bestelt.'
Ze schrapte wat ze net had geschreven weer door.
'U neemt de buttons erbij. Geweldig. Mag ik dan nog even uw naam en adres?'

Wanneer Eva de telefoon wilde wegleggen, rinkelde hij al opnieuw.
'Geen doen zonder schoen. Wat wilt u bestellen? Eline? Dat verkopen wij niet, meneer. O, u belt voor Eline?'
Elines ogen kregen weer een beetje glans.
'Sander? Is dat Sander?'
Maar Eva hoorde haar niet.
'Ik denk dat u verkeerd verbonden bent, meneer. En u houdt vooral onze lijn bezet, dus ik moet nu inhaken.'
Eva schudde het hoofd, Eline liet dat van haar boos op de zetel zakken, maar ze had de fut niet om iets te doen. Ze wist dat ze van Madame niet met Sander mocht bellen, maar als nu ook al haar zussen haar gingen dwarsbomen...
Candice nam een zakje met schoenveters en draaide het rond in haar hand.
'Wij mogen hier niet van eten, zeker?'
'Wel als je betaalt', antwoordde Noor. 'En zo steun je meteen de geweldige actie "Geen doen zonder schoen".'
Candice legde het zakje weer weg.
'Hm, ik zal de actie weleens steunen door een van mijn versleten schoenen te doneren.'
Ze schrok op toen ze twee koude handen in haar nek voelde, die haar zachtjes masseerden.
'Wat hoor ik hier allemaal van mijn lieve zus?' vroeg Eva. 'Gaat ze mijn project ook steunen?'
'Natuurlijk!' lachte Candice. 'Alles voor de arme kinderen! Het loopt goed blijkbaar?'
'Ontzettend goed', zei Eva enthousiast. 'Ik kom handen

te kort om alles te regelen. Gelukkig heb ik zulke lieve zussen die mij altijd willen helpen!'

Noor rolde even met haar ogen. Maar niet te opzichtig, want ze had Eva nog nodig.

'Daar zijn zussen voor, hé', sprak Noor. 'Die helpen elkaar altijd.'

'Dat is waar', knikte Eva. 'Zussen moeten elkaar helpen.'

'Zou ik dan wat geld van je mogen lenen, lieve zus? Je verdient nu toch behoorlijk wat, niet?'

Eva stopte met wrijven in Candice' nek en keek Noor glimlachend aan.

'Je krijgt al het geld dat je wilt, op één voorwaarde.'

'En dat is?' vroeg Noor hoopvol. Heel even zag ze zichzelf al met een glas champagne naar een zeilbotenrace kijken. De telefoon begon opnieuw te rinkelen en Eva haastte zich ernaartoe. Net voor ze opnam, keek ze naar Noor.

'Dat meneer Christian Louboutin zelf naar mij belt en zegt dat hij van al zijn ontwerpen één paar aan mij schenkt!'

12 One hand in my pickpocket

Vinnie keek van een afstand naar het ijzeren hek dat toegang gaf tot het vrachtwagenpark. Er was iets anders dan anders en het was niet moeilijk om te ontdekken wat. Een dikke ijzeren ketting verbond de twee poorten, en in het midden hing een joekel van een slot. En daar hadden ze de sleutel niet van.
'Geen beweging in te krijgen.'
Lucky Luca was naast hem opgedoken. Hij was net het slot gaan controleren. Zodra de mannen hadden ontdekt dat de poort waardoor ze gewoonlijk gingen extra beveiligd was, hadden ze zich uit de voeten gemaakt. Ze hadden de omgeving afgespeurd naar camera's, maar die waren er op het eerste gezicht niet.
'Heel vreemd', mompelde Vinnie.
'Zouden ze iets doorhebben?' vroeg Lucky Luca.
Vinnie antwoordde niet, want hij vond het een domme vraag. Maandenlang hadden ze zonder problemen de

poort kunnen openen met hun sleutel. Voor zover hij zich kon herinneren was het slot zelfs jarenlang nooit vervangen. En nu zat er plots een nieuwe ketting op. Natuurlijk hadden ze iets door.

'We hebben een probleem. Over een uur moeten we op de afgesproken plek staan.'

Lucky Luca keek op zijn horloge.

'Dat halen we nog wel.'

Vinnie haalde diep adem. Lucky Luca was niet de beste man in crisissituaties.

'We moeten er staan mét vrachtwagen.'

Luca keek naar de vrachtwagens die achter het hek netjes zij aan zij stonden.

'Dat wordt moeilijker.'

'Richard G zal razend zijn.'

'Wij kunnen er toch niets aan doen?'

'Denk je dat dat hem iets kan schelen?'

Vinnie liep heen en weer. Ze moesten iets verzinnen. Ze waren altijd al op tijd op de afspraak geweest, op hun diensten was niets aan te merken. Dat moest zo blijven.

Lucky Luca tikte op zijn schouder.

'Als ik nu eens over de poort kruip, de vrachtwagen neem en de poort in elkaar ram?'

Vinnie rolde met zijn ogen.

'Dat zal zeker niet opvallen!'

'Tja, dan hebben we geen vrachtwagen.'

Vinnie brieste. 'Wie heeft ons dat geflikt? Hoe zijn ze het te weten gekomen? Als ik die persoon in handen krijg, wring ik hem persoonlijk de nek om!' Hij haalde zijn

gsm uit zijn zak.
'Wat ga je doen?' vroeg Lucky Luca.
'De baas bellen.'
'Is dat wel een goed idee?'
'Heb jij een beter idee?'
'Ja, dat heb ik net verteld. We rammen de poort in en we rijden weg.'
Vinnie negeerde hem en belde naar Richard G. Zijn hart bonsde snel. Zelfs tijdens de meest inspannende fitnessoefeningen haalde hij zo'n hoge hartslag niet.
'Baas? Vinnie hier.'
'Ja.'
Richard G was nooit erg spraakzaam, zeker niet aan de telefoon.
'We hebben een probleem. Nu ja, een probleem. Dat hangt ervan af hoe je het bekijkt. Alhoewel, zelfs als je het langs alle kanten bekijkt, is het toch een probleem.'
Vinnie besefte dat hij aan het ratelen was. Hij moest kalm blijven. Aangeven dat hij alles onder controle had. Aan de andere kant van de lijn bleef het stil.
'Het zit zo. We kunnen niet bij de vrachtwagens. Er zit een nieuw slot op de poort.'
Opnieuw bleef het even stil. Vinnie moest zich inhouden om niet opnieuw snel te beginnen babbelen. Hij wachtte.
'Dat is inderdaad een probleem', zei Richard G na een tijdje.
Oef, de baas zag in dat er iets was opgedoken dat ze niet meteen konden oplossen. Vinnies hartslag daalde een beetje.

'Inderdaad', bevestigde Vinnie.
Hij stak zijn duim op naar Lucky Luca. Ze zouden hier wel uit geraken.
'Maar dat is niet mijn probleem', voegde Richard G eraan toe.
Vinnie voelde zijn handen klam worden.
'Nee, natuurlijk niet. Maar voor vandaag wordt het dus wel erg lastig om...'
'Jullie hebben nog exact vijftig minuten om hier te staan', onderbrak Richard G hem. 'Tot straks.'
De verbinding werd verbroken. Vinnie had zin om zijn gsm ver weg te keilen. Hij liep naar het hek en rukte gefrustreerd aan het slot.
'Verdomme!' riep hij.
Lucky Luca kwam met zijn handen in zijn zakken aangewandeld. Zoals gewoonlijk liet hij het niet echt aan zijn hart komen.
'En? Wat zei de baas?'
Vinnie keek op zijn gsm. Ze hadden nog dik vijfenveertig minuten. Hij zuchtte diep. Hij dacht graag op lange termijn, maar deze keer zou hij toch voor de korte termijn moeten gaan.
'Ram de poort maar.'

De meiden keken met grote ogen naar de paspoppen die voor hen op de zolder stonden. Ging Madame hen les geven in modeontwerpen? Candice vond dat in elk geval een geweldig idee. Ze was er zeker van dat ze er goed in was.

Het was zondag en weer tijd voor hun wekelijkse bijeenkomst. Deze keer gaf Madame nog eens een les, dat was alweer een tijdje geleden. Als ze aan een opdracht werkten, moest alles daarvoor wijken, dan was er geen tijd voor theoretische lessen. Maar nu zou Madame toch een uitzondering maken.
Ze had hen een halfuur geleden geroepen, maar ze was er zelf nog steeds niet. Eva begon zich al druk te maken dat ze oproepen aan het missen was en dat de klanten zo zouden afhaken.
'*Relax, take it easy*!' zong Candice, maar het leverde haar alleen een mep tegen haar schouder op.
Vijf minuten later kwam Madame dan toch naar boven.
'Sorry dat ik wat later ben. Ik moest nog wat, eh, bekijken.'
Candice had het gevoel dat Madame niet alles vertelde. De laatste tijd was ze wel vaker met dingen bezig die ze de meisjes niet vertelde. Ze wist veel meer van die dievenbende dan ze liet uitschijnen. Vertrouwde ze hen niet? Of was ze boos dat de meiden zo weinig actie ondernamen?
'Eva, kom eens hier.'
Eva stond zuchtend op, ze wilde heel duidelijk maken dat ze geen zin had in de les. Maar ze wist net zo goed als de andere meiden dat ze de les zou moeten meedoen. Madame duldde geen uitzonderingen.
'Kom, kom', zei Madame, terwijl ze Eva vastnam en omdraaide, zodat ze met haar gezicht naar haar zussen kwam te staan. 'Niet zo'n lang gezicht. Dan duurt de les

alleen maar langer.'
Madame deed een stap opzij.
'Kijk maar eens hoe laat het is, dan zal je zien dat er nog tijd genoeg is.'
Eva hief langzaam haar hand omhoog. Bij het zien van haar lege arm schrok ze.
'Ik heb mijn horloge niet aan. Ik heb het vast beneden laten liggen.'
'Zeker?' vroeg Madame.
Eva twijfelde en probeerde na te denken. Ook de andere meiden keken met gefronste wenkbrauwen naar Eva. Had ze niet de hele tijd op haar horloge gekeken, vloekend dat Madame te laat was? Alleen Eline keek met een grijns naar het gebeuren.
'Ik denk het', mompelde Eva. 'Hoewel... Ik dacht dat ik het om had. Ik ben er zelfs vrij zeker van dat ik het om had.'
Madame haalde grijnzend een glinsterend voorwerp uit haar zak. Eva's horloge.
'Bedoel je dit soms?'
Eva staarde verbaasd naar het horloge dat even daarvoor nog om haar pols had gezeten.
'Wanneer hebt u... Ik bedoel, is het gevallen?'
Madame schudde het hoofd.
'Het is helemaal niet gevallen. Dan hadden we het wel gehoord. Je horloge is op een heel zachte manier naar mij toe gekomen.'
Eline knikte goedkeurend. Het was lang geleden dat ze nog eens enthousiast over iets was.

'U heeft haar gerold!' grinnikte ze.
Vingervlugheid was de specialiteit van Eline. Ze kon dingen laten verdwijnen en weer tevoorschijn toveren alsof ze magische krachten bezat. Alleen was alles wat ze deed gebaseerd op illusie, er kwam geen greintje tovenarij aan te pas. Anders had ze allang Sander in haar kamer tevoorschijn getoverd.
'Heeft u mij bestolen?' reageerde Eva meteen verontwaardigd.
'Bestolen is een groot woord', zei Madame. 'Ik heb dit horloge betaald, dus technisch gezien heb ik gewoon mijn eigendom teruggenomen. Maar in de veronderstelling dat het horloge jouw eigendom is, heb ik je inderdaad bestolen. Met veel plezier zelfs.'
Ze had een duivelse glimlach om haar lippen. Die zagen de meiden vooral als Madame hen weer eens verbaasde. Candice vermoedde dat ze Madame nooit helemaal zouden kunnen doorgronden.
'Gaat u ons leren stelen?' vroeg Noor. 'Is dat niet slecht?'
'Ja en ja', antwoordde Madame. 'Ja, ik ga het jullie leren en ja dat is slecht. Maar ik leer het jullie niet zodat jullie het zouden toepassen. Ik leer het jullie zodat jullie het herkennen als het bij jullie gebeurt.'
'Wie gaat ons nu bestelen?' vroeg Candice. 'Dan kunnen ze evengoed een tweedehandswinkel beroven!'
Noor knikte.
'Ik denk dat dieven eerder rijke mensen als slachtoffer nemen.'
'Zijn jullie dat dan niet?' liet Madame subtiel vallen. 'In

het gezelschap waarin jullie verkeren zou ik toch maar opletten.'
Candice en Noor bloosden. Madame kon soms de indruk geven dat ze wat afwezig was, maar uiteindelijk was ze altijd op de hoogte van alles. Ze gaf het horloge weer aan Eva en liep naar de paspoppen. Ze controleerde de zakken van de jassen die erover gedrapeerd waren.
'Deze poppen zijn jullie slachtoffers', legde ze uit. 'Hierop gaan we oefenen.'
'Dat is gemakkelijk', zei Eva. 'Die poppen voelen toch niets.'
'Klopt', zei Madame. 'Maar het gaat in de eerste plaats om de techniek. Later zullen we wel met levende modellen oefenen.'
Meende Madame dat? Candice kon zich niet voorstellen dat ze echt de straat op moest om iemand te beroven. Ze zou helemaal zenuwachtig worden en waarschijnlijk eerst vragen of het slachtoffer in kwestie het niet erg vond om even beroofd te worden.
'Maar als jullie willen, kan ik het realistischer maken door de techniek van dievenbendes te gebruiken.'
De vier zussen keken bijna op hetzelfde moment op. Als Madame zoiets voorstelde, moesten ze op hun hoede zijn. Zo hadden ze eens een week lang gras en insecten gegeten, omdat Candice had gevraagd hoe het eten was als Madame vroeger een operatie had uitgevoerd.
'En wat is die techniek?' vroeg Noor.
'Bij bendes naaien ze vaak scheermesjes in de zakken', zei Eline. 'Dan moet je erg voorzichtig zijn wanneer je de

portefeuille eruit probeert te halen.'
De ogen van de zussen werden groot. Bijna automatisch keken ze naar hun handen, die nu nog mooi en vooral onbeschadigd waren. En dat wilde Candice het liefst zo houden. Ze vroeg zich af of Eline dat ooit had moeten doen.
'Iemand bestelen kan op verschillende manieren', zei Madame. 'Je kunt bijvoorbeeld proberen iets uit de zak te pakken door zo weinig mogelijk contact te maken. Dat is het zakkenrollen zoals veel mensen het kennen. Je loopt achter iemand aan en je probeert ongemerkt zijn portefeuille te stelen.'
Madame deed het voor bij de paspop. Ze kromde haar hand en liet hem in de jaszak glijden. Toen ze er weer uit kwam, had ze een portefeuille vast.
'Dit vergt natuurlijk heel veel oefening. De meeste technieken eigenlijk. Je mag de straat pas op als je het door en door kunt. Anders hebben ze je door bij de eerste poging. Vraag maar aan Eline. Candice, kom eens naar voren.'
Candice kwam overeind en liep naar Madame toe. Die nam haar bij de schouders en draaide haar naar de anderen. Candice liet haar ogen de hele tijd over haar lichaam glijden. Ze was op haar hoede. Madame was vast van plan om iets uit haar zakken te nemen.
'Je kunt ook gemakkelijk iemand bestelen door net wel contact te maken', ging Madame verder met haar uitleg.
'Maar dan weten de mensen toch dat je hen aan het rollen bent?' merkte Noor op.

'Niet noodzakelijk', zei Madame. 'Het hangt ervan af waar je contact maakt. Als je natuurlijk meteen naar hun horloge of hun portefeuille grijpt, zullen ze wel weten wat je van plan bent. De kunst is om contact te maken op andere plekken.'
Madame legde haar hand op de schouder van Candice. Met haar andere hand nam ze een zakje van de tafel. Bloem. Dan liet ze Candice weer los en zette enkele stappen naar voren.
'Stel dat ik een zakje bloem in mijn handen heb. Ik loop ermee rond en... O, sorry!'
Madame struikelde en de zak bloem gleed uit haar handen. Het witte poeder kwam helemaal over Candice' benen terecht. Madame begon onmiddellijk het wit van Candice' benen te kloppen.
'Sorry, meid, echt waar. Ik wist niet dat de zak geopend was.'
Zo had Candice Madame nog nooit gezien. Normaal zou ze eens smakelijk lachen om het feit dat de broek van Candice nu wit was, maar nu voelde ze zich echt schuldig. Ze was dan ook wel erg onhandig geweest.
'Dat gaat er wel uit', mompelde Madame, terwijl ze nog wat witte restjes van Candice' broek veegde.
Candice was allang blij dat ze niet haar beste broek had aangedaan. Of het jurkje dat ze voor de Gouden Regatta had gekocht.
'Er hangt zelfs bloem achter op je broek', mompelde Madame hoofdschuddend. Ze boog zich langs Candice heen en klopte een paar keer op haar achterste.

'Zo, dat moet wel volstaan. Ga maar weer zitten, voor ik nog meer dingen over je mors.'
Candice liep naar haar zussen en ging naast Noor zitten. Die week een beetje opzij om geen bloem op haar kleren te krijgen. Ondertussen nam Madame een borstel en een blik om de bloem van de vloer te vegen. Candice vroeg zich af sinds wanneer ze een borstel en een blik op de zolder hadden staan. Alsof Madame had voorzien dat ze onhandig zou zijn.
'Ik denk dat de les is: probeer nooit iemand te beroven met een zak bloem in je hand', lachte Eva.
'Ik weet het niet', reageerde Eline. 'Je slachtoffers zien in elk geval wit van angst!'
Madame negeerde de opmerkingen, legde haar poetsgerief opzij en kwam overeind.
'Goed. Waar was ik gebleven?'
'U had het over contact op andere plaatsen', antwoordde Noor.
'Juist. Het is een techniek die ook vaak door goochelaars wordt gebruikt. Alles draait om aandacht en hoe die af te leiden. Kijk maar eens naar jullie barbiehuis.'
Madame wees naar links, naar het barbiehuis dat daar al zo lang stond en dat de meiden weigerden weg te doen. Toen ze opnieuw naar Madame keken, had die een portefeuille in haar hand. Waar kwam die plots vandaan?
'Afleiding dus', ging Madame verder. 'Elke mens reageert redelijk normaal op aanwijzingen. Als ik dus naar het barbiehuis wijs, is het bijna vanzelfsprekend dat jullie

ernaar kijken. En daardoor hebben jullie niet gezien dat ik een portefeuille uit een jaszak heb genomen.'
Candice was niet helemaal onder de indruk. Was dat geen oud trucje? Naar iets wijzen en ondertussen iets anders doen. Ze had het gevoel dat ze dat als kind al gebruikte.
'Is dat niet wat te opvallend?' vroeg ze hardop.
'Op deze manier wel', antwoordde Madame. 'Maar geef toe dat het werkt. Een groot goochelaar heeft eens gezegd dat het de kunst is om een olifant over het podium te laten lopen zonder dat iemand het gezien heeft.'
'Dat kan toch niet!' zei Noor meteen.
'Als je de aandacht op de juiste manier afleidt, wel.'
'Maar dat kunnen we toch niet gebruiken bij het zakkenrollen?' merkte Eva op. 'Als je ergens naar wijst en dan iemands portefeuille probeert te stelen, dan voelt die dat toch?'
'Klopt', knikte Madame. 'Dat wijzen was ook maar een voorbeeld. Het gaat om de aandacht afleiden. En dat kun je ook doen op een andere manier. Bijvoorbeeld door contact te maken.'
Eline begon plots heftig te knikken.
'Dus daarom heeft u...'
'Wacht even', stak Madame haar hand op. 'Laat me het eerst uitleggen. Het komt erop neer dat het voor een mens moeilijk is om op twee plaatsen tegelijkertijd druk te voelen. Dus als je eerst ergens anders drukt, zal die veel minder merken dat je ondertussen met je andere

hand iets uit zijn zak neemt.'
'Maar we kunnen toch niet zomaar mensen beginnen aan te raken?' vroeg Candice. 'Dat vinden ze toch ook vreemd?'
'Ook juist. Het is belangrijk dat je onthoudt dat de eerste aanraking logisch moet zijn. Zodat je slachtoffer zich geen vragen stelt. Een botsing kan bijvoorbeeld handig zijn, want dan kun je je slachtoffer even bij de arm nemen om sorry te zeggen.'
'Of een zak bloem over iemand strooien', lachte Eline. 'Want dan kun je zonder problemen de broek proper maken.'
Candice keek op. Wat bedoelde ze daarmee? Eline had iets door dat zij niet doorhad. Ook Noor en Eva keken gelukkig nog vragend naar Madame.
'Dat zou een goede truc zijn', lachte ook Madame. 'Terwijl je met de ene hand op de broek klopt, kun je met de andere hand iets uit een zak nemen. Zonder dat die persoon dat doorheeft.'
Candice schudde het hoofd. Ze kreeg een akelig vermoeden dat er iets was gebeurd zonder dat ze het had gemerkt.
'Candice, wat heb jij in je broekzak zitten?' vroeg Madame.
'Mijn sleutel', antwoordde Candice.
'Mag ik die eens zien?'
Candice hoefde eigenlijk niet eens te voelen, maar ze deed het toch. Haar sleutel was weg, haar zak was leeg. Toen ze weer opkeek, zag ze Madame triomfantelijk met

de sleutel in de hand staan. Ze kon zich wel voor het hoofd slaan. Daarom was Madame plots zo stuntelig geweest. Daarom had ze een blik en een borstel voorzien.
Madame had gelijk gehad. Alles draaide om afleiding.

13 A walk in the park

'De rode of de blauwe jurk?' vroeg Candice.
Eline lag op haar bed en keek ongeïnteresseerd op. Haar huisarrest bleef maar duren, waardoor ze stilaan apathisch was geworden voor alles wat rondom haar gebeurde. De meiden vroegen zich af waarom Madame zo halsstarrig bleef vasthouden aan haar straf. Misschien wilde ze een voorbeeld stellen. Het werkte in elk geval, want geen haar op Candice' hoofd dacht eraan om nu nog iets verkeerds te doen. Hoe zou ze moeten uitleggen aan Kristof dat ze hem weken aan een stuk niet kon zien?
Kristof, die elk moment aan haar deur kon staan! Ze moest dringend beslissen wat ze zou dragen.
'Welke jurk zou ik aandoen?' drong ze aan bij Eline.
'Weet ik veel', mompelde Eline. 'Waarvoor is het?'
'Voor de Gouden Regatta.'
'Wat is dat? Een festival?'

'Nee, een bootrace.'
'Jij vraagt mij wat je moet aandoen op een bootrace? Wat weet ik daar nu van?'
'Kies gewoon een kleur.'
'Oké, rood.'
'Bedankt.'
Candice liep naar de deur en begon de rode jurk over haar hoofd te trekken.
'Wacht even!' riep Eline.
Candice stopte, haar jurk half over haar lichaam. Ze zag alleen maar een rode schijn.
'Bedoelde je dat ik gewoon een kleur moest kiezen of een jurk?'
'Een jurk natuurlijk.'
'O. Dan kies ik de blauwe. Die staat je beter.'
Candice trok de jurk verder over haar hoofd. Eline keek haar grijnzend aan. Ze had duidelijk niet veel beters te doen dan haar zus te plagen. Candice schonk haar een flauwe glimlach en trok haar jurk goed.
'Het zal toch rood worden. Die past beter bij de buitenlucht. Of ben je al vergeten hoe die eruitziet?'
De deurbel maakte een einde aan hun discussie. Candice begon de trap af te lopen, bedacht dat ze daarvan zou zweten en vertraagde. Beter dat Kristof even moest wachten dan dat hij een Candice voor ogen kreeg die net uit een regenpijp kwam gekropen.
Ze haalde even diep adem en opende de deur. Kristof stond voor haar met een arm achter zijn rug. Hij was sportief gekleed in een losse jeans en een wit hemd met

korte mouwen. Candice wierp een blik op haar jurk. Voor de eerste keer sinds ze al die rijke mensen had ontmoet, voelde ze zich overdressed.
'Wauw', lachte Kristof. 'Wat zie jij er goed uit!'
'Ach', wuifde Candice het complimentje weg. 'Ik heb gewoon het eerste aangedaan wat ik in mijn kleerkast tegenkwam.'
Kristof hoefde niet te weten dat aan de keuze van die jurk een hele selectieprocedure was voorafgegaan, die enkele uren had geduurd.
'Ben je er klaar voor?'
'Volledig!' antwoordde Candice enthousiast. 'Eerst nog mijn handtas en mijn ticket nemen.'
Ze liep naar de woonkamer en nam haar handtas van de zetel. Eva zat in de andere zetel een inventaris te maken van alle spullen die ze nog in huis had.
'Stop jij nooit met werken?' vroeg Candice. 'Het is weekend!'
'Zelfstandigen hebben geen weekend', antwoordde Eva zonder op te kijken.
'Dan zal jij blij zijn als je weer naar school mag. Kun je wat uitrusten.'
Eva schrapte enkele items op haar blad en zuchtte diep. 'School staat in de weg van mijn zaak. Ik vraag me zelfs af of ik nog wel moet gaan. Wat kan ik daar nog leren?'
'Je hebt gelijk', knikte Candice. 'Zeg dat maar eens tegen Madame. Zij begrijpt je vast.'
'Goed idee. Doe ik', zei Eva enthousiast en ze noteerde het op haar blad.

Candice keek hoofdschuddend in haar handtas. Ze had spijt dat ze de reactie van Madame niet zou zien wanneer Eva haar vertelde dat ze niet meer naar school wilde gaan. Ze zou Eva hoogstpersoonlijk op de schoolbank gaan afzetten en erbij blijven staan tot de bel weer ging.
Candice rommelde verder in haar handtas. Waar had ze het ticket gestoken? In het binnenzakje, dacht ze, maar dat was leeg. Vreemd. Belangrijke dingen stak ze toch altijd daar?
'Heb jij mijn ticket voor de Gouden Regatta gezien?'
Eva haalde haar schouders op en schonk haar een blik die duidelijk maakte dat een bootrace haar geen moer kon interesseren. Zeker als er geen schoenen aan te pas kwamen.
Candice' hart begon in haar keel te kloppen. Kristof stond te wachten. Hij had het dure ticket voor haar gekocht en zij was het kwijt. Dat kon toch niet?
Ze stormde de trap op naar haar kamer. Ze keek op haar bed, onder haar bed, op haar bureau, onder de kast, in de kast, in haar boekentas. Maar nergens was het ticket te bespeuren.
In de woonkamer greep ze al lichtjes in paniek Eva's schouder beet.
'Waar is Noor?'
'Waarom?' vroeg Eva geschrokken.
'Misschien heeft zij het ticket gezien.'
'Noor is weg. Ik heb haar zien vertrekken met de fiets.'
Candice graaide haar gsm uit haar tas en belde Noor. Ze

luisterde ongeduldig naar de beltonen. En dan kwam de stem van Noor, die vriendelijke meedeelde dat ze haar oproep niet kon ontvangen.
'Verdorie!'
Candice keek nog een keer in haar tas en liet zich dan achterover in de zetel vallen. Radeloos.
'Eh, klop klop?'
Kristof keek vanuit de deuropening de woonkamer binnen. Hij had nog steeds een arm achter zijn rug.
'Zullen we vertrekken?'
Candice kon hem enkel aanstaren. Ze durfde het hem niet te zeggen. Ze had het verknald. Hij zou boos worden, haar uitschelden en weggaan. En dan zou hij in de armen vallen van een van die rijke meisjes op de Regatta. En dat had ze allemaal aan zichzelf te danken.
'Candice?'
Hij zou met dat mooie rijke meisje trouwen en daar mooie rijke kindjes mee maken, die een zwembad zouden hebben waar ze nooit in zwommen. En zij zou nog steeds hier zitten. In de zetel, zoekend naar dat stomme ticket. Maar ze zou het nooit vinden.
'Candice? Alles in orde?'
'Ze zal een tijdje niet antwoorden, denk ik', zei Eva in haar plaats. 'Ze heeft een of ander ticket verloren en ze is er niet goed van. Ik begrijp het ook niet goed. Het was dan nog een ticket voor een stomme bootrace. Ik ben Eva trouwens.'
Kristof keek geschrokken naar Candice. Maar zijn uitdrukking veranderde snel en hij begon hard te lachen.

'Je hebt het ticket voor de Gouden Regatta niet meer?'
Candice kon enkel antwoorden door haar ogen te sluiten. Kristof tastte in zijn achterzak en haalde er een kaartje uit: zijn ticket voor de Regatta.
'Dat wil dus zeggen dat je niet kunt gaan?'
Deze keer knikte Candice, heel licht, haar lippen op elkaar geknepen van schaamte. Kristof haalde van achter zijn rug een kleine bos witte bloemen vandaan. Hij deed een stap naar voren en legde ze op Candice' schoot.
'Wel, dan ga ik ook niet.'
Kristof nam het ticket in beide handen en verscheurde het. De snippers liet hij op de grond dwarrelen. Candice kon haar ogen niet geloven.
'Wat doe je nu?'
Kristof haalde zijn schouders op.
'Ik had toch al niet veel zin om te gaan.'

Vinnie zette een stapel dozen op een nog grotere stapel dozen. Lucky Luca volgde achter hem met de laatste dozen. Met zijn tweeën staarden ze naar de grote hoop.
'Ik vind het nog steeds raar', zei Lucky Luca.
'Ik weet het', zei Vinnie. 'Maar wat doe je eraan?'
'Weigeren', zei Lucky Luca. 'Ik bedoel maar, we worden betaald om dingen weg te nemen. Daar zijn we goed in.'
Hij maakte een wegwerpgebaar naar de stapel dozen.
'En nu moeten we plots die dingen ergens gaan leggen. Wat voor zin heeft dat nu?'
Vinnie haalde zijn schouders op.
'Opdracht is opdracht. Als de baas wil dat we morgen

varkens gaan houden en die een dansje leren, dan doen we dat ook. Hij betaalt, dus wij leveren.'

'Dat is niet waar. Dit is geen opdracht van de baas zelf.'

Daar had Lucky Luca gelijk in. Vinnie nam een van de dozen en zette ze in de kast voor hen.

'Klopt, maar je weet dat hij evenveel te zeggen heeft.'

'Spijtig genoeg wel, ja.'

Lucky Luca hielp Vinnie met het inladen van de dozen. Ze deden het kalm en geordend, ook al hoefden ze niet voorzichtig te zijn. Er was niemand thuis, ze hadden zorgvuldig gewacht tot de laatste bewoner het huis uit was. Maar ze waren het nu eenmaal gewend om geruisloos te opereren.

'Binnenkort zullen we die kleine klusjes niet meer hoeven te doen', zei Vinnie. 'Dan gaan we alleen nog voor het grote werk.'

Lucky Luca glunderde bij het horen van die woorden.

'Weet je al wat voor opdracht het wordt?'

'Nee, Richard G ging het mij nog doorsturen.'

'Spannend.'

Zo voelde Vinnie het ook aan. Na alle klussen die ze hadden opgeknapt, voelde de nieuwe opdracht aan als een promotie. Ook al wisten ze nog niet wat ze precies zouden gaan doen, ze waren opgewonden door het idee alleen al.

'Ik heb wel een vermoeden', zei Vinnie.

Lucky Luca keek nieuwsgierig op.

'Weet je nog waar we de laatste keer hadden afgesproken? Voor we naar die klus moesten.'

Lucky Luca trok zijn neus op.
'Dat weet ik maar al te goed. Die stank zit nog in mijn kleren.'
'Ik denk dat dat geen toeval was.'
'Natuurlijk was dat geen toeval. Als je al die dieren zo laat schijten, dan stinkt het er vanzelf!'
Vinnie moest lachen. Het gezicht van zijn kompaan veranderde haast van kleur bij de gedachte.
'Ik bedoel dat het geen toeval was dat we daar afgesproken hebben. Ik denk dat het te maken heeft met de opdracht.'
'Ik dacht dat hij gewoon zijn hobby wilde laten zien.'
Dat had Vinnie eerst ook gedacht. Maar dan besefte hij dat Richard G niets zomaar deed.
'Nee, hij wilde ons de boel al laten verkennen.'
Lucky Luca liet het even bezinken. Na een tijdje keek hij uit het raam, waar een kleine bestelwagen stond.
'Gaan we dan ook een vrachtwagen nodig hebben?' vroeg hij.
'Weet ik niet', antwoordde Vinnie. 'Maar ik vermoed van wel. Anders heeft Richard G ons misschien niet nodig.'
'Dan moeten we nog op zoek naar iets nieuws', knikte Lucky Luca naar de bestelwagen. 'Want dat scharminkel zal hij maar niets vinden.'
Ze hadden hun vorige vrachtwagens ergens achtergelaten langs de kant van de weg. Nadat Lucky Luca de poort van het vrachtwagenbedrijf aan flarden had gereden, waren ze niet terug durven te gaan. De kans was groot dat de politie hen daar zou staan

opwachten. Ze hadden ervoor gezorgd dat ze alles hadden opgeruimd, om geen sporen achter te laten. En aangezien ze er niets meer van hadden gehoord, gingen ze ervan uit dat dat gelukt was.
'Weet Richard G dat we onze vrachtwagens niet meer hebben?' vroeg Lucky Luca.
Vinnie schudde het hoofd.
'Nee. En dat kunnen we beter zo houden.'

Candice sloot haar ogen en liet de zachte wind de warmte van de broeierige zon van zich afblazen. Ze leunde achterover en haar hoofd raakte Kristofs knie. Ze opende haar ogen en wilde zich verontschuldigen, maar Kristof keek haar glimlachend aan. Candice beschouwde dat als een teken dat het oké was en liet haar hoofd verder in zijn schoot zakken.
Enkele uren geleden had ze nooit durven te vermoeden dat het verliezen van haar ticket haar de mooiste dag sinds lang zou bezorgen. De laatste keer dat ze zich nog zo goed had gevoeld, was toen ze met haar dansgroep een wedstrijd had gewonnen.
Kristof had haar meegenomen naar zijn lievelingsplekje. Ze waren naar een park in de buurt van zijn huis gefietst en hadden het pad gevolgd tot het stopte. Daar was Kristof afgestapt en had hij teken gedaan dat ze haar fiets op slot moest zetten. Hij had even rondgekeken of niemand hen in het oog hield, haar hand gegrepen en haar door de bosjes getrokken.
En daar waren ze nu: op een klein, door struiken en

bomen omgeven plekje met in het midden een grote treurwilg. Er leidde geen enkele weg naartoe en net daarom was het er zo rustig.
'Hoe heb je deze plek ontdekt?' vroeg Candice.
'Ik ben hier heel lang geleden eens met mijn ouders geweest. Ik herinner me dat ik een hele dag onder de treurwilg heb gespeeld. Maar toen ik hier later terugkwam, vond ik de plek niet meer. En dus ben ik beginnen te zoeken. Blijkbaar is de ingang dichtgegroeid.'
'Het is hier geweldig', mijmerde Candice.
'Ja, hé. En het beste eraan is dat je hier altijd kunt komen. Het kost je niets.'
Candice opende even haar ogen en glimlachte ondeugend.
'Dat is niet helemaal waar. Eigenlijk kost dit uitstapje ons zeshonderd euro, want we hebben twee tickets voor de Gouden Regatta verspeeld.'
Kristof keek haar gespeeld boos aan.
'We?'
'Ik heb jouw kaartje niet verscheurd. Dat heb je helemaal zelf gedaan!'
Kristofs blik veranderde weer in de vrolijke uitdrukking die hij zo vaak had.
'En het was de beste beslissing die ik kon nemen!'
Hij reikte naar een tas achter zich. Onderweg naar het park was hij nog even aan een winkel gestopt. Candice was buiten blijven staan en Kristof had niet willen zeggen wat hij had gekocht. Hij haalde een fles

champagne boven en twee plastic glazen.
'Ik had je een namiddag champagne aan het water beloofd, dus ik wil toch ten minste één van mijn beloftes nakomen.'
Hij ontkurkte de fles en schonk de glazen vol. Candice twijfelde. Het liefst zou ze zo blijven liggen, met haar hoofd in zijn schoot. Maar ze had ook best wel zin in een glaasje champagne. Ze vond het vreemd hoe snel ze aan het drankje gewend was geraakt. Voeger dronk ze het nooit. Uiteindelijk kwam ze overeind.
'Op de Regatta!' proostte Kristof.
'Dat de beste moge winnen', tikte Candice met haar glas tegen het zijne. 'En dat zijn wij!'
Ze dronk gulzig van haar glas en staarde naar de bladeren van de treurwilg.
'*We're simply the best!*' zong ze zacht. '*Better than all the rest. Better than...*'
Abrupt hield ze op en legde haar hand voor haar mond. Ze had de melodie in haar hoofd gehad en daar had ze moeten blijven.
'Waarom stop je?' vroeg Kristof.
'Omdat het stom is', antwoordde Candice.
'Ik vond het leuk.'
Ze zou hem zo kunnen opeten! Hij vond het leuk!
'Echt?'
'Tuurlijk. Ik vind het geweldig als een meisje graag zingt.'
Hij keek haar even in de ogen.
'En mooi zingt', voegde hij er blozend aan toe.

Er viel een korte stilte. Ze keken naar elkaar en weer weg. Wat ging er gebeuren? Zou hij haar kussen? Het was de perfecte timing. Candice kon de spanning niet aan.
'Wat doen jouw ouders eigenlijk?'
En weg was het moment.
Candice vervloekte zichzelf. Waarom kon ze zo slecht tegen stiltes? Altijd moest ze er iets tussen flansen. Meestal was dat goed, omdat zo het gesprek weer op gang kwam. Maar af en toe was het nefast voor de situatie. Zoals nu.
'Op dit moment? Dat weet ik niet.'
'Nee, ik bedoel in het algemeen.'
'O. Mijn vader heeft zijn eigen zaakjes. Maar hij vertelt er niet veel over.'
'Ik hoorde Cedric iets vertellen over witwassen?'
Onbewust was Candice weer aan de opdracht van Madame beginnen te denken. Hoe leuk Kristof ook was, het spookbeeld van zijn vader aan McDonald's bleef haar dwarszitten.
'Ja, dat doet hij het meeste. Mensen wassen blijkbaar nogal graag. Hij heeft alles zelf opgebouwd.'
'Dus jullie zijn niet altijd zo... Ik bedoel, vroeger waren jullie gewoon...'
Candice geraakte moeilijk uit haar woorden. Op de een of andere manier vond ze het moeilijk om te zeggen dat hij rijk was. Het leek zo'n stomme stempel die ze op zijn hoofd zou zetten.
'Arm, bedoel je?' zei Kristof lachend.

Candice keek hem dankbaar aan. Hij maakte het haar gemakkelijk om over moeilijke dingen te praten.
'Vroeger hadden we het inderdaad niet zo breed. Maar sinds mijn vader zakenman is, is er plots veel geld. Dus af en toe laten we het eens breed hangen.'
Hij vulde de champagneglazen.
'Maar nu ook weer niet te vaak', grinnikte hij. 'Ik ga niet elke dag Regattatickets verscheuren.'
'Dat hoeft niet', lachte Candice. 'Ik denk dat die tickets ons levenslang gratis toegang tot dit plekje verlenen!'
'En wat doen jouw ouders? Ik bedoel... die Madame?'
Hij werd opnieuw een beetje rood. Ze had hem vorige keer al uitgelegd hoe de situatie ongeveer in elkaar zat. Maar het was altijd even wennen voor mensen dat de meiden alleen een moeder hadden die dan ook nog hun echte moeder niet was.
'Madame doet eigenlijk niets meer. Ze is met pensioen.'
'Nu al? Ze zag er nog jong uit.'
'Bedankt, ik zal het haar zeggen', lachte Candice. 'Dan sta je meteen op een goed blaadje!'
'Wat heeft ze dan voor werk gedaan?'
'Van alles en nog wat. Gevaarlijke dingen. Soms vertelt ze erover en dan klinkt het altijd spannend.'
Kristof nipte even van zijn glas en staarde wat voor zich uit. Candice had haar hoofd weer op zijn schoot gelegd en hij streelde zachtjes door haar haren.
'Dan hebben we dus allebei ouders die weinig vertellen. Gelukkig verdienen ze goed!'
Hij had het lachend gezegd, maar Candice kon alleen

een gemaakte glimlach produceren. Plots besefte ze weer dat Kristof haar kende als de sprookjesprinses die alles kreeg waar ze om vroeg. Wat zou er gebeuren als ze dat beeld doorprikte? Zou hij de echte Candice ook leuk vinden?
'Wat is er?' vroeg Kristof. 'Je kijkt zo ernstig.'
Candice raapte haar moed bijeen. Ze zou het ooit moeten zeggen, hij zou er toch achter komen.
'Weet je, het huis waar je me net bent komen oppikken?'
'Jullie feesthuis?'
'Ja. Nee. Het... Het is niet ons feesthuis. Het is ons gewone huis.'
Kristof antwoordde niet meteen. Hij keek naar boven. Zou hij boos zijn? Misschien mocht hij niet omgaan met gewone meisjes.
'Dat vermoedde ik al', zei hij na een tijdje. 'Of meer zelfs, dat hoopte ik al.'
Candice fronste haar wenkbrauwen.
'Waarom?'
'Heb je de andere meisjes al eens bezig gezien? Altijd maar opscheppen over hoeveel ze hebben, hoeveel ze doen... Ze kunnen niet genieten van de gewone dingen. Zoals hier onder een treurwilg liggen.'
Hij keek haar diep in de ogen en boog zijn hoofd wat dichter naar het hare.
'En jij kan dat wel.'
Hij boog zich helemaal voorover en kuste haar stevig maar teder op haar lippen. Candice hoopte dat hij nooit meer overeind zou komen.

14 She's just a poor girl, from a poor family

Candice zette haar fiets tegen de gevel van hun huis en liep bijna met haar hoofd tegen de voordeur. Haar gedachten waren helemaal ergens anders dan haar lichaam. Ze kon niet stoppen met lachen. Met moeite vond ze haar sleutel en liep ze het huis binnen.
Haar date met Kristof zou nog lang in haar hoofd rondspoken. Ze hadden zoveel plezier gemaakt en daar hadden ze geen Regatta of villa voor nodig gehad. Gewoon elkaar. En een fles champagne.
Ze kon niet wachten om hem terug te zien. Ze hadden de volgende dag al afgesproken, na de les van Madame. Candice hoopte dat die niet te lang zou duren.
In de woonkamer trof ze een boze Eline en een nog bozere Madame aan. Eline zat in de zetel met haar armen gekruist, Madame torende boven haar uit, haar handen in haar zij.
'Welke spelletjes ga je nog allemaal spelen?'

'Dat kan ik net zo goed aan u vragen', bromde Eline.
'Vindt u nu zelf niet dat dit al veel te lang duurt?'
'Nee, want het is duidelijk nodig, aan je kinderachtige gedoe te zien.'
'Ik ben niet kinderachtig, u bent kinderachtig!'
Candice wilde opmerken dat het net heel kinderachtig was om zoiets te zeggen, maar ze hield wijselijk haar mond. Ze wilde geen partij kiezen.
'O ja? Ga ik dan in hongerstaking?'
Hongerstaking? Nu maakte Eline het wel heel bont. Zou ze dat echt menen?
'Nee, dat hoeft u niet, want u hebt geen huisarrest.'
'Correct, maar ik geef dan ook geen feestjes die ik niet mag geven.'
'Nogal wiedes, dit is uw eigen huis.'
Madame schudde het hoofd.
'Dat heb je goed opgemerkt. En de dag dat jij je eigen huis hebt, mag je daar zoveel feestjes in geven als je zelf wilt!'
Eline klemde haar tanden op elkaar. Candice zag zo dat ze niet meer wist wat ze moest zeggen. Madame overtroeven was erg moeilijk. En dus stond ze maar op en liep ze boos de kamer uit.
Normaal gezien zou Candice zich dit allemaal aangetrokken hebben. Normaal gezien zou ze proberen te bemiddelen. Maar nu kon het haar niet veel schelen. Het enige wat telde, was Kristof. Zij en Kristof. Samen. En dan zou alles wel goed komen.
Op het moment dat ze Eline boven met haar kamerdeur

hoorde slaan, werd de voordeur met een geweldige smak dichtgeklapt. Noor kwam stampvoetend de kamer binnen.
'Ik haat hen. Ik haat ze allemaal!'
Noor was helemaal rood aangelopen. Ze ademde snel in en uit en Candice had gezworen dat ze wolkjes stoom uit haar neus zag komen.
'Wat een vrolijke dag', mompelde Madame.
Ze nam haar golftas en liet de meisjes achter. Ze had duidelijk geen zin in nog meer gedoe.
'Wat is er gebeurd?' vroeg Candice.
'Bitches zijn het, stuk voor stuk', brieste Noor.
'Wie?' vroeg Candice, hoewel ze een vermoeden had over wie het ging.
'Margaux, Charlotte en de anderen.'
'Heb je hen gezien vandaag?'
'Natuurlijk heb ik hen gezien. Anders zou ik niet zo kwaad op hen zijn.'
'Waar heb je hen dan gezien?' wilde Candice weten. 'Ze waren toch allemaal op de Gouden Regatta?'
'Ja, eh', stotterde Noor. 'Doet dat ertoe?'
Candice bekeek de kleren van Noor. Ze was piekfijn uitgedost, met nota bene een rok van Candice. Dat kon maar één ding betekenen.
'Jij bent naar de Regatta geweest! Hoe kom je aan een ticket?'
'Gewoon, ik heb er nog een gekocht.'
Noor durfde haar nauwelijks aan te kijken en frunnikte aan haar riem. Candice wist dat ze loog. Het verklaarde

in elk geval een en ander.
'Je hebt mijn ticket genomen!' riep ze boos.
Noor zei niets. Ze sprak Candice niet tegen en staarde alleen maar naar de grond. Candice kon het nauwelijks geloven. Haar eigen zus had van haar gestolen!
'Had je het niet gewoon kunnen vragen?'
'Je had het nooit gegeven', sputterde Noor tegen. 'Je wilde bij Kristof zijn.'
Helemaal ongelijk had Noor niet. Candice had toen nog niet geweten dat de Regatta voor Kristof niet hoefde. Maar zij hoefde zich toch niet te verontschuldigen? Het was haar ticket. Ze besloot Noor te testen.
'Dan moet je mij nu driehonderd euro geven. Kristof heeft het geld teruggevraagd.'
'Wat?' schrok Noor. 'Hij heeft het je toch gegeven? Het was een cadeautje.'
'Een duur cadeautje. Eentje dat ik niet mocht kwijtraken.'
Noor werd bleek en Candice voelde zich onmiddellijk schuldig. Ze had een fantastische dag gehad, precies omdat Noor haar ticket had gestolen. Ze zou Noor moeten bedanken in plaats van haar voor schut te zetten.
Maar omdat ze haar daad toch niet helemaal kon goedkeuren, wilde Candice haar zus een beetje doen zweten.
'Je mag ook in schijven afbetalen, hoor. Of misschien kun je wat juweeltjes aan me verkopen.'
'Maar ik heb helemaal geen geld', zei Noor. 'Ik kan je

niet betalen.’
‘Misschien kun je geld bij je vrienden lenen?’
‘Het zijn geen vrienden meer.’
Candice werd opnieuw nieuwsgierig naar wat er gebeurd was. Ze besloot haar spelletje te stoppen.
‘Oké, het is goed. Je hoeft het niet te betalen.’
Noor keek dankbaar op.
‘Echt?’
‘Nee, je dag was blijkbaar al rot genoeg.’
‘Dat is nog zacht uitgedrukt.’
‘Wat is er gebeurd?’
Noor ging aan de tafel zitten. Ze steunde met haar ellebogen op de tafel en legde haar hoofd in haar handen.
‘Ze hebben het ontdekt.’
‘Wat?’
‘Dat alles wat ik hen heb verteld, gelogen is.’
Candice nam een stoel en zette zich naast Noor. Ze legde een hand op haar schouder.
‘Ze moesten het ooit te weten komen.’
‘Maar niet op deze manier. Ik wilde het hen zelf vertellen.’
‘Hoe wisten ze het dan?’
‘Ik weet het niet zeker. Blijkbaar heeft een van die stomme meisjes haar vader een en ander laten natrekken. Ze hebben ontdekt dat ik hier echt woon en dan waren de conclusies snel getrokken.’
‘Dat is toch niet erg? Wat maakt het uit dat ze weten dat we niet zoveel geld hebben als zij? Ze vonden je toch

leuk?'
'Dat dacht ik ook. Maar hun criteria voor vriendschap zijn duidelijk anders. Wie geen geld heeft, hoort er niet bij. Ze begonnen de hele tijd opmerkingen te maken. Over mijn kleren, mijn haar, mijn huis. Zelfs over jullie.'
Enerzijds schrok Candice daar niet van, maar anderzijds vond ze het wel erg ver gaan. Ze had niet verwacht dat ze zo openlijk iemand zouden aanvallen. Dan was de reactie van Kristof helemaal anders geweest. Hij had het net leuk gevonden dat ze niet rijk was.
Nu ze erover nadacht, besefte ze dat ook Kristof al slachtoffer was geweest van die pesterijen. Cedric had Kristof ook al op de korrel genomen omdat zij niet altijd rijk waren geweest. Hij had gespot met de wassalons van zijn vader. Zelfs zijn naam hadden ze maar gewoon gevonden, omdat die niet met 'ch' en 'phe' werd geschreven.
'Wat zeggen ze dan?'
'Ze begonnen op te scheppen over hun kleren. Over hoe die van Dolce & Gabbana waren en van Gucci. En dan vroegen ze of die van mij van Poor & Ugly kwamen.'
'Wat? Noemen ze mijn rok lelijk?'
Candice was eerst nog van plan geweest om te bemiddelen. Om Noor te troosten en te zeggen dat haar vriendinnen dat waarschijnlijk niet meenden. Maar nu had ze daar al veel minder zin in. Wie haar kleren beledigde, beledigde haar.
'En dan begonnen ze over het feit dat wij met vijf in zo'n klein huis kunnen wonen. Dat zelfs mieren meer plek

hebben in hun hoop. Maar dat dat waarschijnlijk komt omdat toen Madame ons ging kopen, ze er één gratis kreeg als ze er drie betaalde.'
Noor had tranen in haar ogen. Ook Candice moest nu op haar lip bijten.
'Ze zijn te ver gegaan', zei ze zacht.
Noor knikte.
'Waarom kies ik altijd de verkeerde vrienden?'
Candice kneep even in Noors nek.
'Daar kun jij niets aan doen. Ik dacht ook dat het een leuke bende was. Ze hebben geen bord met "bitch" om hun nek, hé.'
Noor moest toch even glimlachen.
'Nee, tenzij Bitch een duur merk was, dan zouden ze het meteen dragen.'
'*C'est pour la petite bourgeoisie qui boit du champagne*', neuriede Candice. 'Misschien is het een idee om dit alles tegen Eva en Eline te vertellen?'
'Wat heeft dat voor zin', reageerde Noor. 'Zij kennen hen toch niet?'
'Nee, maar ik denk wel dat ze willen weten hoe die rijke meisjes hen noemen. Volgens mij zullen ze dan met plezier meewerken aan een plannetje. Ze zijn Mystery Girls voor iets.'
Noor keek haar verbaasd aan.
'Heb je dan al een plannetje?'
Candice schudde het hoofd, terwijl ze ging staan.
'Nog niet, maar dat komt wel. Ik ga eerst iets eten om wat inspiratie op te doen.'

Noor greep haar hand vast.
'Bedankt.'
'Jij bent bedankt', glimlachte Candice. 'Dankzij jou heb ik een fantastische dag gehad.'
Noor fronste haar wenkbrauwen.
'Maar je was toch boos omdat ik je ticket had genomen?'
'Eerst wel, maar dan kwam Kristof en die heeft zijn eigen ticket in stukjes gescheurd.'
'Wat?'
Voor Noor was het moeilijk te begrijpen dat iemand zo'n duur ticket kon verscheuren. Zij had zoveel moeite gedaan om bij een groepje rijke mensen te horen en iemand anders kon het geld zomaar over de balk gooien.
'We zijn naar het park gegaan', glunderde Candice. 'En daar was het veel leuker dan op de Regatta.'
'Hoe weet jij dat nou? Je was niet eens op de Regatta.'
'Heb jij je geamuseerd?'
'Nee.'
'Wel, dan was het in het park veel leuker.'
Candice schudde Noors hand los en stapte naar de keuken. Noor volgde haar op de voet.
'En mij zo'n rotgevoel geven over die kaart', zei Noor. 'Dat is niet echt mooi!'
Candice draaide haar hoofd.
'Niet echt mooi? Wie heeft er een kaart van haar zus gestolen? Dat noem ik niet echt mooi!'
'Hm.'
Noor besefte dat ze niet te veel moest protesteren en zweeg. In de keuken zat Eline aan tafel. Voor haar lag

een bord met appelschillen en ze schilde op haar gemak een tweede appel.
'Was jij niet in hongerstaking?' vroeg Candice.
'Klopt', knikte Eline met volle mond. 'Was.'
'Erg lang heb je dat niet volgehouden! Nog geen vijf minuten.'
Eline propte een groot stuk appel in haar mond.
'Een hongerstaking betekent dat je jezelf goed moet kennen. Je moet weten waar je limieten liggen.'
'En die van jou liggen op vijf minuten?'
Eline schudde het hoofd, kauwde op de brokken in haar mond en slikte alles door.
'Veel langer. Maar ook weer niet zo lang, een dag, niet meer. En op een dag gaat Madame niet van gedachten veranderen. Dus waarom zou ik eraan beginnen?'
Candice moest toegeven dat Eline een grote zelfkennis had. Al was dat ook gevaarlijk, want op die manier begon je nergens meer aan.
'Dus heb je wel tijd voor iets anders?' vroeg Candice.
'Op dit moment niet', schudde Eline het hoofd. 'Op dit moment eet ik een appel. Maar daarna heb ik wel tijd, ja.'
Candice nam een stoel en zette zich bij aan de keukentafel. Noor deed hetzelfde.
'Uitstekend', zei Candice. 'Want het wordt tijd dat de Mystery Girls in actie komen.'

15 Mr. Truck driver

Candice was tevreden over de eerste brainstorm voor hun plan. Ze zouden de groep rond Margaux een lesje in nederigheid leren. Om hen te laten zien dat het nergens voor nodig is om hoogdravend te doen. Of dat tot hen zou doordringen, was nog maar de vraag, maar de Mystery Girls zouden zich in elk geval geamuseerd hebben.
Ze was onderweg naar het transportbedrijf waar de vrachtwagens werden geleend voor de overvallen. Madame had hen nieuwe informatie doorgespeeld. Het bedrijf had voor extra beveiliging gezorgd – al was Madame niet onder de indruk geweest toen ze hoorde dat de extra maatregel een ketting was – en dat had niet geholpen. De inbrekers hadden twee vrachtwagens gestolen en waren simpelweg door de poort gebeukt. De vrachtwagens waren later teruggevonden langs de kant van een verlaten pad.

Candice had besloten dat het tijd werd dat ze de zaak actief begon te onderzoeken. Madame dacht dat ze de rijke huizen van binnenuit probeerde te bestuderen, maar eigenlijk was ze enkel geïnteresseerd geweest in Kristof.
Het was stil aan het bedrijf. Niet verwonderlijk, want het was een zondag. Candice bleef staan aan het stuk gereden hek. Het was een beetje opgelapt, maar echt sluiten deed het niet meer. Candice wrong zich door de opening en stapte het terrein op. De vrachtwagens stonden mooi langs elkaar geparkeerd. Het was niet moeilijk om te ontdekken welke vrachtwagen gebruikt was om door de poort te rijden. De voorkant was ingedeukt en de nummerplaat hing er nog maar half aan.
Candice liep naar het voertuig en voelde aan het portier. Op slot. Wat had ze ook verwacht? Dat iedereen de vrachtwagens mocht lenen als hij daar zin in had? Maar ze zou zich niet zomaar laten afschrikken. Ze bestudeerde het portier zorgvuldig. Het was nog niet proper gemaakt. Vingerafdrukken zou de politie al wel genomen hebben, daar zou ze zich niet mee bezighouden. Maar ze was wel geïnteresseerd in andere achterblijfsels. Op het opstapje lagen allerlei kleine stofjes. Candice schraapte ze bij elkaar en veegde ze in een zakje. Eva zou die mogen bestuderen, misschien haalde ze er wel iets uit.
Daarna trok Candice zich op en keek ze in de cabine. Die zag er helemaal proper uit. De bestuurder had zijn

voorzorgen genomen en geen sporen achtergelaten. Of toch geen sporen die zichtbaar waren van buitenaf.
Ze liet zich weer zakken, een beetje teleurgesteld. Ze had gehoopt op een aanwijzing. Iets dat haar meer zou vertellen over de identiteit van de mannen.
'Wat doe jij hier?'
Candice schrok en draaide zich om. Een oudere man in een blauwe overall stond voor haar.
'Is iedereen tegenwoordig geïnteresseerd in die vrachtwagens?'
Candice bekeek hem wat beter. Hij leek in niets op de inbrekers. Hij had geen gespierd lichaam en had dat waarschijnlijk nooit gehad. En zijn overall was niet van Armani. Ze ontspande zich.
'Sorry dat ik stoor. Ik had aangebeld, maar er deed niemand open.'
'Natuurlijk niet, het is zondag. En dan ben je maar naar binnen gewandeld. Doe je dat altijd?'
'U bent er toch?' negeerde Candice zijn vraag.
'Helaas ja', zuchtte de man. 'Ze willen de parking niet meer onbewaakt achterlaten. En een camera vonden ze te duur, dus kan ik opdraven.'
Candice kreeg een idee. Ze hadden al verschillende sporen onderzocht, maar ze hadden nog niet de tijd genomen om het gewoon eens te vragen.
'Werkt u hier allang?'
De man leek snel te vergeten dat het meisje dat voor hem stond er eigenlijk niet mocht zijn. Ze zorgde voor een beetje afleiding op een saaie dag en dat was voor

hem belangrijker.
'Ik heb nooit ergens anders gewerkt. Eerst als chauffeur. Jaren heb ik met die machines rondgereden. Ik heb alle plaatsen in Europa gezien. Noem een plek en ik ben er geweest. Maar na al die tijd heb je het wel gehad met al die reizen. En nu zorg ik voor het onderhoud.'
'Dan kent u ongetwijfeld iedereen die hier de laatste jaren heeft gewerkt.'
De man knikte enthousiast. Blij dat zijn staat van dienst door iemand werd geapprecieerd.
'Ik ken iedereen en iedereen kent mij.'
Candice haalde haar fototoestel boven.
'Het zit zo', legde ze uit. 'Ik ben op zoek naar een nonkel van mij. Ik heb hem al jaren niet meer gezien en ik zou hem graag nog eens opzoeken. Het enige wat ik weet, is dat hij hier gewerkt heeft.'
Het leek de man een aannemelijke uitleg. Wat zou een meisje anders op een transportbedrijf zoeken?
'En hoe heet hij?'
Tja, dat wist Candice natuurlijk niet, maar dat kon ze moeilijk zeggen. Want een nonkel zoeken zonder dat je zijn naam kent, klonk wat raar.
'Ik zal hem laten zien', zei ze.
Ze scrolde door de foto's op het toestel tot ze aan de serie kwam die getrokken was aan McDonald's. Ze toonde een foto aan de man.
'Vincent Feys', zei die onmiddellijk. 'Vinnie. Ben jij familie van hem?'
Hij keek naar Candice en dan weer naar Vinnie. Een

zwart meisje met een blanke nonkel, ergens klopte er iets niet.
'Ik ben geadopteerd', zei Candice met haar ogen naar de grond. Ze wist dat dat medelijden opwekte. 'Vincent is de broer van mijn vader. Maar ze hebben allang ruzie.'
'Ach zo', knikte de man. 'Wel, ik heb Vinnie in geen eeuwen gezien. Hij werkt hier al een hele tijd niet meer.'
Eindelijk kwam ze eens iets te weten. De inbrekers stonden niet op de lijst van werknemers, maar ze hadden wel in het bedrijf gewerkt.
'Goede chauffeur, die Vinnie', zei de man. 'Altijd stipt op tijd, nooit een ongeluk. Daar kon je altijd op rekenen.'
Als die Vinnie een chauffeur was geweest, had hij misschien nog een sleutel van zijn oude vrachtwagen. Daarom hadden ze altijd gemakkelijk een voertuig kunnen lenen.
'Reed hij met deze vrachtwagen?'
Candice wees op de vrachtwagen met de gedeukte voorkant.
'Nee, dat was die van Luca. Lucky Luca.'
Candice nam haar fototoestel weer en liet de tweede chauffeur zien.
'Dat is toch toevallig deze man niet?'
'Ja ja, dat is hij. Speciaal geval, die Luca. Hij had voortdurend ongelukken, maar hij kwam er zelf altijd ongedeerd uit. Zijn wagens hebben nogal afgezien. Een beetje zoals deze vrachtwagen hier.'
De man vond het gelukkig niet vreemd dat ze ook een foto van Lucky Luca had, terwijl ze op zoek was naar

Vinnie.
'En werkt hij hier nog?'
De man schudde het hoofd.
'Nee, hij is ook gestopt. Ongeveer samen met Vinnie, denk ik. Wat zou er van hem geworden zijn?'
Candice liet het bezinken. De twee mannen waren dan wel gestopt bij het bedrijf, ze reden duidelijk nog regelmatig met de vrachtwagens. Maar aan de wagens had ze niet veel, daar waren alle sporen gewist.
'Weet u waar nonkel Vincent nu woont?'
De man keek haar vertederd aan.
'Je wilt hem graag nog eens zien, hé?'
Candice knikte zo onschuldig mogelijk.
'Kom maar mee. Ik zoek het even op.'

Candice gooide haar fiets tegen het huis en stormde naar binnen. Ze wilde voortmaken, want ze had een afspraak met Kristof en door haar uitstapje naar het transportbedrijf had ze veel tijd verloren. En met haar nieuwe plannen zou ze nog meer tijd verliezen. Ze had Kristof al een bericht gestuurd dat ze later zou zijn, maar hoe minder ze later was, hoe beter.
'Waarom ben je zo gehaast?'
Noor sloeg Candice gade vanuit de zetel. Ze had nog steeds haar pyjama aan, ook al was het bijna middag. Het was haar manier om de nare ervaring van de dag ervoor te verwerken.
'Omdat ik haast heb.'
'Dat zou je niet zeggen.'

Candice had geen tijd voor flauwe grapjes. Ze liep de trap op en ging meteen door naar de zolder. Ze keek naar de kasten en trok willekeurig enkele schuiven open. Die lagen vol met walkietalkies, zenders, oortjes en afluistermateriaal. Het was de reden dat Madame geen onbekend volk toeliet tot de zolder. Die had meer weg van een militair lab dan van een speelzolder.
'Wat zoek je?'
Noor stond achter Candice. Ze was heel stil achter haar aan geslopen. Candice keek op.
'Dingen om in te breken.'
'Die liggen in de lage kast.'
Candice keek naar een kleine ladekast en liep ernaartoe. Daar vond ze wat ze nodig had: lopers, glassnijders, een kleine koevoet, dunne plastic kaarten om vergrendelingen open te schuiven en zelfs zware hamers voor als niets anders lukte. Ze koos alleen de kleine dingen uit, ze was niet van plan om een spoor van vernieling achter te laten.
'Waarvoor heb je ze nodig?'
Candice nam het fototoestel en toonde het aan Noor.
'Ik heb ontdekt wie de chauffeurs zijn.'
Noor knikte goedkeurend.
'Hoe heb je dat gedaan?'
'Ik ben het gewoon gaan vragen.'
'Slim.'
Noor nam een stevige tas uit een van de kasten en gaf ze aan Candice. Die stopte haar spullen erin en zwierde de tas om haar schouder.

'En nu ga je naar die chauffeur zijn huis en wil je daar inbreken.'
Candice glimlachte. Dat was het leuke aan haar zussen. Ze begrepen elkaar heel snel.
'Helemaal juist.'
'Zou je dat wel alleen doen?'
'Iedereen is welkom. Op de uitnodiging stond niet met hoeveel ik mocht komen.'
Noor opende een andere kast en haalde er twee bivakmutsen uit.
'Misschien is het wel een verkleedfeestje.'
Ze liepen samen de zoldertrap af naar beneden. Op de eerste verdieping werden ze tegengehouden door een zacht gejuich.
'*Yes! Yes! Yes! Yes! Yes!*'
Het kwam uit de kamer van Eva. Candice keek naar Noor en dan naar haar horloge. Als ze dan toch al te laat was, konden er nog wel een paar minuten bij. De nieuwsgierigheid leidde hen naar Eva's kamer.
Er kwam rook onder haar deur vandaan. En stank. Een gruwelijke stank. Candice kneep haar neusgaten dicht.
'Ik ben plots niet meer zo nieuwsgierig', zei ze.
Noor wendde haar hoofd af en duwde de deur open. De kamer was nauwelijks zichtbaar door de mist die tot aan het plafond hing.
'Eva? Alles in orde?'
'Ja hoor!' klonk het van ergens uit de rook. 'Zou er iets mis moeten zijn misschien?'
Candice liep met haar vingers nog steeds strak om haar

neusvleugels naar het raam en opende het. Langzaam trok de rook weg en werd Eva zichtbaar. Ze zat aan haar bureau over een bubbelende vloeistof gebogen. Ze had een aangedampte veiligheidsbril op haar hoofd en een wasknijper op haar neus. Daarom kon ze blijven zitten.
'Het is alleen een beetje mistig', bromde Noor.
'Dat hoort bij het werk', zei Eva. 'Zeker als je het goed wilt doen.'
Candice wist wat Eva daarmee wilde zeggen. Ze had iets ontdekt, maar ze wilde dat haar zussen ernaar vroegen. Om geen tijd te verliezen, stelde Candice de vraag meteen.
'Wat heb je ontdekt?'
Eva hield trots een plastic zakje naar boven waarin een bruine substantie zat. Het zakje dat Madame haar had gegeven, met de kluit zand die ze bij Cedric had gevonden.
'Ik weet wat dit is!'
'En?'
'En wat?'
'Wat is het?'
Eva duwde het zakje wat dichter onder de neus van Candice. Die deinsde achteruit.
'Het is mest.'
'Mest? Als in uitwerpselen?'
'Welke andere mest ken jij?'
Eva legde het zakje weer weg. Hoewel Candice blij was dat haar zus eens over iets anders kon praten dan schoenen, wilde ze dit gesprek toch snel afronden.

‘Wat weet je nog meer?’
Eva legde haar vinger op haar mond.
‘Even denken’, zei ze. ‘Wat heb ik nog ontdekt? O ja, ik weet wie het brein is achter de inbraken.’
Candice en Noor keken haar verbaasd aan.
‘Echt?’
Eva schudde het hoofd en nam het zakje weer van de tafel.
‘Natuurlijk niet. Het is mest! Wat denk je dat ik daarin kan vinden? Er staat niets op geschreven, hoor.’
Candice nam Noor bij de arm en duwde haar naar de deur. Aan Eva zouden ze niet veel hebben.
‘Kom, Noor, we gaan verder onderzoeken.’
‘Wacht!’ riep Eva meteen. ‘Zijn jullie niet geïnteresseerd in het soort mest?’
‘Maakt dat iets uit?’ vroeg Noor.
‘Natuurlijk maakt dat iets uit.’
‘Oké, welk soort mest is het?’
‘Paardenmest.’
‘Kunnen we nog gebruiken bij ons plan.’
Candice had de andere meisjes verteld over de topjumping. Ze wist dat de rijke jongeren ernaartoe zouden gaan en ze vond het een uitstekende plek om hen een lesje te leren. Modder, mest en mooie witte kleren, dat zou een fijne combinatie geven. Ze stapte verder de kamer uit. Eva’s onderzoek had niet veel opgeleverd. Paardenmest, wat moesten ze daar van maken? Toen ze aan de voordeur stonden, wachtte ze even. Ze keek naar Noor, die haar schoenen aandeed.

'Ga jij zo mee?'
Noor keek naar haar pyjama.
'Wat is er mis mee?'
'Het is een pyjama!'
Noor haalde haar schouders op en deed haar jas aan.
'We gaan toch inbreken, niet?'
Candice knikte.
'Dus het is de bedoeling dat niemand ons ziet?'
Candice kon niet anders dan opnieuw knikken. Noor stapte de deur uit.
'Wat is het probleem dan?'

Het huis van Vinnie lag op een drukke baan, waar zelfs op een zondag de auto's massaal voorbijscheurden. Candice en Noor hadden hun fietsen wat verder in de straat gezet en liepen zo onopvallend mogelijk naar het adres dat Candice had genoteerd. Toen ze het juiste nummer ontdekten, liepen ze een beetje verder. Achter een geparkeerde auto hielden ze halt.
'Hoe gaan we daar binnen geraken?' vroeg Noor. 'Het is een rijhuis. Als we daar aan de deur gaan morrelen, heeft iedereen ons gezien.'
Candice keek om zich heen. Noor had gelijk. Ze had gehoopt op een zijdeur of een raam dat openstond, maar het huis leek potdicht. Ze moesten aan de achterkant geraken. Ze wees naar het huis waar ze voor stonden.
'Dit huis heeft een oprit ernaast. Als we via de tuinen gaan, geraken we misschien tot aan het huis van Vinnie.'
'Goed idee', knikte Noor. 'Maar zullen we eerst testen of

er iemand thuis is?'
Ze wachtte niet op een antwoord van Candice. Ze liep naar Vinnies huis en belde aan. Candice wilde nog roepen dat ze een pyjama aanhad en dat dat raar zou overkomen. Maar Noor was al te ver.
De deur bleef gesloten. Noor keek snel door het raam naast de voordeur en schudde het hoofd. Ze stak stiekem haar duim op en haastte zich terug naar Candice.
'Niemand.'
'Oké, dan gaan we.'
Candice wandelde nonchalant de oprit van het huis voor hen op. Doen alsof ze daar thuishoorden, dat was wat ze moesten doen. En hopen dat de bewoners hen niet zagen, want die wisten dat ze daar niet thuishoorden.
In de tuin schatten ze snel de situatie in. De tuinen waren met elkaar verbonden door een lage haag. Voor zover Candice kon zien, was er nergens beweging. Maar er kon altijd iemand door zijn raam naar buiten kijken.
'Wat doen we?' vroeg ze aan Noor, in de hoop dat zij een geniaal plan zou hebben waarbij ze over de haag konden vliegen.
'Twee mogelijkheden', antwoordde Noor. 'We gaan er los door of we springen erover.'
Candice keek naar haar jurkje. Geen van Noors voorstellen zou vlekkeloos verlopen. Maar ze waren niet zo ver gekomen om zich te laten afschrikken door wat blaadjes.
'Erover.'

'Nu?'
'Nu.'
Ze renden naast elkaar naar de eerste haag. Candice zette haar handen erbovenop en stootte zich af met haar linkervoet. Het voelde aan als een turnles. Haar benen schuurden over de top van de haag. Candice durfde niet naar haar kleren te kijken toen ze neerkwam. Geen tijd, Noor was al verder gelopen naar de tweede haag.
Candice volgde.
Enkele sprongen later bevonden ze zich in de juiste tuin. Onmiddellijk bukten ze zich en spitsten hun oren. Ze hoorden niets.
'Zou iemand ons hebben gezien?'
'Ik denk het niet.'
Ze wachtten nog heel even, maar nergens hoorden ze een achterdeur opengaan. Candice keek naar het huis.
'Als ze ons daar maar niet zien.'
Ze liepen tot aan de achterdeur en verscholen zich onder het raam. Candice zette haar tas op de grond. Ze haalde er enkele spullen uit en spreidde ze uit over de grond. Daarna keek ze naar de deur, een houten gevaarte op leeftijd. Maar het slot zelf was recent nog vernieuwd.
'Hij houdt niet van indringers', zei Noor.
'Wie wel? Hij vraagt zijn slachtoffers ook niet om toestemming.'
Candice koos voor de loper. Ze zette zich op haar knieën en stak hem in het slot. Ze draaide en draaide, maar het slot gaf niet mee.
'Moeilijker dan ik dacht', mompelde ze.

'We zullen nog eens een extra les aan Madame vragen', zei Noor.
Noor nam een harde plastic kaart en probeerde ze tussen de deur en de deurstijl te steken. Ze wrong aan de kaart tot ze in de kleine gleuf paste. Daarna probeerde ze het plastic naar beneden te schuiven. De kaart zat vast en weigerde te bewegen. Noor kreeg ze er zelfs niet meer uit.
'We gaan meer achterlaten dan we meenemen', zei ze. 'Slechte inbrekers zijn wij.'
Candice keek naar de andere spullen die ze bij zich hadden. Met de glassnijder konden ze proberen het raam van binnenuit te openen. Maar het raam leek redelijk dik. Ze wist niet of de kleine snijder erdoor zou geraken.
'Het is nochtans een eenvoudige deur', zei Noor, terwijl ze haar hand op de klink legde. 'Zelfs het slot is niet zo zwaar. Het heeft nauwelijks vergrendelingspunten.'
De klink ging omlaag en de deur schoof open. Noor keek verbaasd naar haar hand.
'Daarom werkt de loper niet', lachte ze. 'Het slot was al open.'
Candice legde onmiddellijk haar vinger op haar mond. Dat de deur open was, was een geluk voor hen. Maar het kon ook betekenen dat Vinnie gewoon thuis was. Ze verzamelde haar spullen weer in de tas en ging na Noor naar binnen.
Het huis was verrassend ingericht. De muren waren in felle kleuren geschilderd en de vloer was een groot stuk

gegoten beton. Maar de meubels waren minder modern. Antieke tafels en kasten, oude schilderijen aan de muur, grote Chinese vazen en een stoffige zetel maakten van het geheel een grote kakofonie.
Candice keek op de tafel en snuffelde door de papieren die erop lagen. Rekeningen voor het internet, reclamefolders, nog meer rekeningen, een krant, een boodschap voor de huishoudhulp en enkele kaartjes voor Vinnies verjaardag. Niet meteen sporen van een groots plan.
Het plafond kraakte en Candice verstijfde. Was er iemand boven? Samen met Noor bleef ze enkele minuten op dezelfde plaats staan. Het bleef stil. Ze moesten voortmaken, niet bij elk geluid in paniek geraken.
Candice opende een kast en scande de inhoud. Servies en glazen, op naar de volgende kast. Daar trof ze potten en pannen aan. Wat had ze verwacht? Dit was gewoon een bewoond huis, met alle normale benodigdheden.
'Candice', fluisterde Noor plots. 'Kijk hier.'
Noor stond aan de salontafel. Ze wees naar een gsm die erop lag. Candice stond meteen naast Noor en pakte de gsm op. Ze zette de beveiliging af en het scherm lichtte op. Gelukkig, hij vroeg geen code. Voor een inbreker vond Candice Vinnie toch wat slordig. Zijn deur stond open en zijn gsm lag onbeveiligd op tafel. Misschien waande hij zich zo superieur dat hij zijn eigen beveiliging niet nodig vond.
Candice zocht naar de laatste oproepen. Vinnie had

regelmatig gebeld met Lucky Luca en Richard G. Lucky Luca! Die naam had de man van het transportbedrijf genoemd, dat was de tweede chauffeur. Candice wees naar het nummer, Noor nam een papiertje uit haar zak en schreef het over. Ook het nummer van Richard G werd genoteerd, ook al kon dat evengoed Vinnies fitnesstrainer of zijn nonkel zijn.
Candice zocht verder en opende de inbox van Vinnies berichten. Ook hier waren er vooral berichten van Lucky Luca en Richard G. Die van Lucky Luca waren meestal erg kort.
Waar moeten we zijn?
Hoe laat?
Fitness vandaag?
Iets drinken?
Niets wees op een conversatie tussen twee gangsters. Het waren gewoon twee vrienden die elkaar regelmatig zagen. Candice ging verder en opende de berichten van Richard G. Het waren vooral adressen.
Blauwbroedersstraat 15
R. Keldermansstraat 11
Kruisschanslei 103A
Pieter-Jozef Nauwelaersstraat 23
Noor noteerde ze nauwkeurig. Het kon belangrijk zijn. Candice zocht verder. Het laatste bericht dat Richard G had gestuurd, was anders.
Plan gaat door. Topjumping. Atleten voor het rapen.
De topjumping. Daar gingen de meisjes hun plan uitvoeren. Maar blijkbaar waren ze niet de enigen. Wat

was die Richard G daar van plan?
'De paardenmest', mompelde Noor.
'Wat?'
'Eva, haar ontdekking', verduidelijkte ze. 'De modder die de inbrekers aan hun schoenen hadden, was paardenmest. Ze zijn de omgeving al gaan verkennen.'
Noor noteerde de exacte woorden uit het bericht. Een bonk in de kamer boven hen deed hen weer opschrikken. Ze luisterden, maar opnieuw hoorden ze niets.
'Ik stel voor dat we vertrekken', zei Noor, toch niet op haar gemak.
Candice knikte, maar bewoog niet. Ze scrolde naar beneden door de berichten. Er waren heel wat nummers waar geen contactpersoon bij stond. Willekeurig opende ze er enkele. Meestal waren het nietszeggende berichten, maar bij één bericht stond haar hart even stil. Hun eigen adres stond erin!
Ze toonde het aan Noor. Die noteerde het nummer dat erbij stond en trok dan aan Candice' mouw.
'Laten we gaan.'
Maar ze bewogen niet. Een nieuw geluid klonk door het huis. En deze keer was het niet boven hen, maar naast hen. De onderste treden van de trap kraakten. Er kwam iemand naar beneden. Vinnie.
Candice keek om zich heen. Natuurlijk. Het slot dat open was, de gsm die onbewaakt op de salontafel lag, dat deed je alleen als je thuis was. Noor trok hard aan haar arm. Vinnie was al bijna beneden.

Noor gooide de gsm weer op de salontafel. Ze wrongen zich tussen de zetels door en renden naar de achterdeur. Op hetzelfde moment ging de deur naar de woonkamer open. Candice kon het niet laten en draaide zich even om. Ze stond oog in oog met Vinnie.
Die was te verbaasd om te reageren. Hij zag er slaperig uit en vroeg zich vast af of hij nog droomde.
'Wat gebeurt er hier?' mompelde hij.
Candice en Noor gaven geen antwoord. Ze spurtten door de achterdeur en sprongen over de haag, sneller dan in de heenweg. De takken en de bladeren schuurden harder over Candice' lichaam dan de eerste keer, maar deze keer stond ze er niet bij stil.
Ze waren al in de laatste tuin toen ze Vinnie in zijn eigen tuin hoorden roepen.
'Blijven staan!'
Erg dwingend klonk het niet, hij was duidelijk nog niet van zijn verbazing bekomen. Candice en Noor spurtten langs het huis en kwamen weer op straat terecht. Noor wilde meteen naar de fietsen lopen, maar Candice hield haar tegen.
'Dan moeten we langs zijn huis.'
'Hoe gaan we dan naar huis?'
'We maken een omweg.'
Candice wees naar een zijstraat iets verderop. Als ze uit het zicht waren, kon Vinnie hen niet meer vinden. Hun fietsen moesten ze dan maar via een omweg oppikken.
Ze wandelden de verschillende straten door en kwamen na een tijd opnieuw aan de drukke baan. Voorzichtig

tuurden ze door de straat. Vinnie was nergens te bespeuren. Ze namen hun fietsen en reden weg. Candice een stuk sneller dan Noor.

'Ga je nog naar Kristof?' vroeg Noor toen ze Candice had bijgehaald.

'Ja', knikte Candice. 'Ik neem een opdracht van Madame altijd au sérieux.'

16 Caught out there

'Je hoeft toch niet te stofzuigen vandaag?' vroeg Candice lachend, toen ze de kamer van Kristof binnenkwam. De kans was klein, want alles lag er piekfijn bij. Had Kristof speciaal voor haar zijn kamer opgeruimd of was de poetsvrouw langs geweest? Ze gokte op het laatste. De dag dat jongens hun kamer uit zichzelf begonnen op te ruimen, was dezelfde dag waarop meisjes niet meer piekerden over een *bad hair day*.
'Misschien wel', haalde Kristof zijn schouders op. 'Maar mama is niet thuis, dus nee.'
Het leven van een jongen kon soms verbazend eenvoudig zijn. Als iemand zei dat ze iets moesten doen, dan gebeurde dat en anders niet. Als ze maar niet te veel hoefden na te denken.
'Hoe komt het dat je later bent?' vroeg Kristof.
'Onze wekelijkse bijeenkomst liep wat uit', antwoordde Candice. 'Madame had geen zin om zich aan de timing

te houden. Als wij dat doen, zou ze zenuwachtig worden.'

'Tja, ouders mogen altijd iets meer', zuchtte Kristof. 'Dat is bij ons net zo.'

Candice vertelde niet helemaal de waarheid. Niet alleen was ze zelf een hele tijd weg geweest, er was ook geen bijeenkomst geweest. Madame had een briefje achtergelaten waarop stond dat ze dicht bij een doorbraak stond in haar onderzoek en dat ze geen tijd mocht verliezen. Dat was dan ook een geldige reden om de zondagse bijeenkomst te annuleren.

Madame had op het briefje de 'ik' dubbel onderlijnd. Het was haar manier om duidelijk te maken dat de meiden veel te weinig tijd in de zaak stopten. Niemand trok zich echt iets aan van het briefje, wat eigenlijk bewees dat Madame gelijk had. Eline weigerde een klop uit te voeren zolang ze huisarrest had en Eva verzoop in het werk, want haar schoenenbedrijfje barstte uit zijn voegen. Haar onderzoek op de paardenmest was een uitzondering geweest. Noor was nog steeds aan het mokken om wat er gebeurd was op de Regatta en Candice kon niet snel genoeg bij Kristof zijn. Dat Noor en Candice toch nog in actie waren geschoten, had Madame niet geweten op het moment dat ze het briefje schreef.

'Laten we maar niet te veel aan onze ouders denken', zei Candice.

Ze duwde Kristof achterover op het bed, sloeg haar armen om hem heen en kuste hem hartstochtelijk op de

mond. Daar had ze al zin in gehad sinds ze de dag ervoor afscheid van hem had genomen.
'Je hebt gelijk', glimlachte Kristof. 'Dit is veel leuker om over na te denken.'
'Niet denken, doen!' lachte Candice en ze drukte een nieuwe kus op zijn lippen.
Ze kusten zowat een halfuur lang, waarna Candice uitgeput in zijn armen lag. Ze had nooit gedacht dat kussen zo vermoeiend kon zijn.
'Ik heb gehoord dat de Regatta ook leuk was gisteren', zei Kristof na een tijdje.
'Heeft je zus dat verteld?' vroeg Candice, op haar hoede.
'Nee, die is niet gegaan. Maar ik heb Margaux nog gesproken.'
Dat was een kleine opluchting voor Candice. Nathalie was dus al niet betrokken geweest bij de pesterijen.
'Ik heb van Noor een heel ander verhaal gehoord.'
'O ja? Hoe ging dat dan?'
'De rest van de groep heeft ook ontdekt dat wij niet zo rijk zijn als zij.'
'Ai.'
Kristof knikte en wreef over zijn kin.
'Ik kan me al voorstellen hoe ze hebben gereageerd.'
'Noor was woedend toen ze thuiskwam.'
Candice verlegde zich omdat ze vreesde dat er een kramp in haar nek zou schieten. In Kristofs armen liggen was leuk, maar ze hoefde er ook geen stijve nek aan over te houden.
'Nu ja, niet alleen woedend. Vooral verdrietig.'

'Was het zo erg?'
'Ze vonden het niet zo leuk als jij dat Noor ook kan genieten van de gewone dingen. En ze hebben ook niet de moeite gedaan om dat te verbergen.'
'Ze kunnen echt gemeen zijn, hé.'
Candice keek even op.
'Als je dat maar weet. Als jij er niet bij was geweest, was ik nooit meegekomen naar jullie feestjes.'
'Ik voel me vereerd', glimlachte Kristof.
Candice wrong zich los en ging rechtstaan. Ze plaatste haar handen in haar zij.
'Natuurlijk voel je je vereerd! Niet alle jongens mogen mij in hun armen houden, hoor!'
Kristof legde zich op zijn zij en steunde zijn hoofd op zijn arm.
'Zo, krijgen we al kuren?' lachte hij.
'Nee, ik zeg het gewoon zoals het is', antwoordde Candice met een brede glimlach. Ze boog voorover en drukte een kus op zijn wang.
'Het is belangrijk dat ik mijn strenge kwaliteitseisen behoud. Daarom zal ik je toch aan een grondige controle moeten onderwerpen. Rook je?'
'Nee, nooit gedaan.'
'Goed begin', knikte Candice goedkeurend. 'Doe je aan sport?'
'Is fitness een sport?'
Candice dacht even na.
'Nee', zei ze na een tijdje. 'Dat is vooral oefenen om indruk te maken.'

'Zwemmen dan?'
'Dat wel.'
'Dan doe ik aan sport.'
'Twee op twee!' kirde Candice. 'Je bent goed bezig!'
Kristof ging rechtop zitten. Blijkbaar vond hij het best wel spannend.
'Hoeveel moet ik halen?'
'Drie op drie.'
'Dat is de moeite.'
'De beloning ook', knipoogde Candice. 'De laatste vraag draait rond mode. Mijn vriend moet uiteraard een even goede smaak hebben als ikzelf. Dus laten we eens kijken wat er zoal in die kast van je zit!'
Candice trok een kast open en bestudeerde de inhoud. Zoals ze had verwacht, lagen er vooral dure kleren in, maar wel smaakvolle.
'Dat valt wel mee. Kies je je kleren zelf?'
'Nee, dat doen mijn butlers voor me', knipoogde Kristof. 'Ze kleden mij 's morgens ook aan. Net nadat ze mij hebben gewassen!'
Candice moest lachen. Ze vond het geweldig dat hij zijn rijkdom zo kon relativeren. Ze kon zich niet voorstellen dat ze met iemand zou zijn die alleen maar kon opscheppen over hoeveel hij had.
'En wat zit er in kast nummer twee?'
'O, die heb ik allang niet meer opengedaan, daar zitten alleen maar oude...'
Kristof zweeg toen hij Candice' verschrikte gezicht zag.
'Wat is er mis?'

Candice kon haar ogen niet geloven. Ze moest enkele keren knipperen, maar elke keer kreeg ze hetzelfde beeld voor haar ogen. De kast lag vol met dozen. En in die dozen zaten schoenen.
Eva's schoenen.
'Wat doen die hier?' kon ze na een tijdje met moeite uitbrengen.
Kristof was naast haar komen staan en ook hij keek verbaasd naar de inhoud van de kast. Of speelde hij dat maar?
'Ik heb er echt geen flauw idee van', mompelde hij. 'Waar komen die vandaan?'
Candice probeerde na te denken. Een verklaring te vinden. Kristof was bij hen geweest toen de schoenen werden gestolen. Hij kon het dus gedaan hebben. Maar waarom?
'Rotzak', siste ze. 'Hoe kun je Eva zoiets aandoen?'
'Eva? Wat heeft die ermee te maken? Ik zeg je toch dat ik die schoenen nog nooit heb gezien!'
De paniek was af te lezen in Kristofs ogen. Ze had even medelijden met hem. Maar dat was net wat hij wilde. Hij had haar al die tijd wat voorgelogen en nu deed hij het weer.
'Waarom heb je die schoenen gestolen? Je hebt die toch niet nodig?'
Op het moment dat Candice die woorden uitsprak, beantwoordde ze eigenlijk haar eigen vraag. De puzzel paste mooi in elkaar. Ze hadden het wel nodig. Het was net de reden waarom ze rijk waren geworden. Candice

haalde zich het beeld van Kristofs vader weer voor de geest. Eerst pratend met de vrachtwagenchauffeurs bij McDonald's, daarna rondsluipend in zijn eigen huis. Richard G. Dat was dus de naam die Kristofs vader gebruikte.
Wassalons! Ze begon te begrijpen waarom de anderen daar hun bedenkingen bij hadden. Het was niet meer dan een smoesje, een dekmantel. Madame had gezegd dat de dieven dingen stalen bij rijke mensen en die doorverkochten. Zo hadden de ouders van Kristof dus hun fortuin verdiend. En hun zoon deed even graag mee. En om zichzelf niet verdacht te maken, hadden ze een inbraak verzonnen. Ze hadden de politie gealarmeerd en een verhaal verteld over gestolen spullen. Zo konden ze hen al niet verdenken, want ze waren zelf slachtoffer.
Candice zette zich op haar knieën en begon de schoenen op te bergen in de plastic tassen die naast de schoenen lagen. Ze wilde hier zo snel mogelijk weg, maar niet zonder de schoenen. Ze moest bewijsmateriaal hebben en ze wilde vooral Eva haar schoenen teruggeven.
'Candice, zeg iets, ik kan niet meer volgen', zei Kristof met een bevende stem.
Hij liet zich naast haar zakken en wreef over haar schouder. Candice tikte boos zijn hand weg.
'Ik heb niets meer te zeggen. Jij, je vader... Dat ik het niet heb durven te zien.'
Ze had zichzelf voorgelogen. Ze had geweten dat zijn vader de dief was, maar ze had het ontkend. Omdat Kristof een mooie jongen was. Maar nu kon ze de

waarheid niet meer negeren: ze lag met hakken en veters voor haar neus.

Candice gooide de plastic tassen voor de voeten van Eva, die zoals gewoonlijk weer druk aan het bellen was. Eva reageerde niet meteen. Pas toen ze de telefoon weglegde, zag ze Candice' betraande gezicht.
'Wat is er?'
Candice antwoordde niet. Ze knikte alleen maar naar de tassen, waaruit enkele schoenen gegleden waren. Eva staarde met grote ogen naar haar dierbare bezit.
'Hoe heb je? Wat...'
Ze liet zich op haar knieën zakken en streelde haar schoenen alsof het huisdieren waren.
'Jullie zijn terug! Jullie zijn...'
Ze stopte en keek naar boven, beseffend dat er iets niet klopte.
'Waarom ben je niet blij?'
Candice liet zich op de zetel vallen en veegde de tranen uit haar ogen. Ze wilde zich sterk houden, maar dat was o zo moeilijk.
'Het was Kristof', bracht ze uit. 'Hij had ze.'
'Wat? Waarom?'
'Zijn ouders zijn... Zij zijn de dievenbende die we zoeken. Het is zijn vader die we hebben gezien.'
'Maar waarom dan mijn schoenen?' vroeg Eva.
'Het zijn dieven', haalde Candice haar schouders op. 'Die kunnen het niet laten, zeker?'
Eva stond op en legde haar arm rond Candice.

'Arme schat. Dat je zoiets moet ontdekken.'
'Ik dacht dat hij gewoon lief was', snikte Candice. 'Kan ik nu eens niet verliefd worden op een gewone jongen?'
Eva zei niets. Wat moest ze ook zeggen? Ze nam Candice nog wat steviger vast
'Of misschien moet ik ook maar een dievegge worden', probeerde Candice te glimlachen. 'Ik kan alvast een beetje zakkenrollen.'
Eva wreef over haar haren.
'Jij zou een uitstekende dievegge zijn. Kijk maar hoe je mijn schoenen hebt teruggestolen. Je weet niet hoe blij je me maakt.'
Het was voor Candice toch een klein beetje een troost. Haar verdriet maakte tenminste iemand anders gelukkig. Maar dan veranderde Eva's blik. Haar glimlach bij het zien van haar schoenen maakte plaats voor ontzetting.
'Maar dat van die schoenen hoeven we nog niet meteen aan de grote klok te hangen', fluisterde ze.
Candice keek haar verbaasd aan. Normaal zou Eva het uitschreeuwen dat ze haar schoenen weer had.
'Waarom?'
Eva knikte naar alle dozen met schoenspullen die uitgespreid stonden in de woonkamer.
'Omdat de mensen geen arme kindjes willen steunen als die kindjes zoveel schoenen blijken te hebben!'

17 Papa, ik lijk steeds meer op jou

Lucky Luca keek somber naar de inhoud van de vrachtwagen. Daarin stonden de gebruikelijke schilderijen, vazen en antieke meubelen.
'Weer hetzelfde. Ik dacht dat we een grote slag gingen slaan?'
'Geduld', suste Vinnie. 'Die komt nog. Deze opdracht doen we tussendoor. In afwachting van het plan.'
'Veel praatjes volgens mij', bromde Lucky Luca. 'Ik wil het nog weleens zien.'
Ze sloten de laadklep van de vrachtwagen en stapten vooraan in.
'Moeten we wachten tot onze technicus buiten is?'
Vinnie keek naar het huis. Daar was iemand in de woonkamer aan het prutsen aan de ontvanger voor digitale televisie. Hij schudde het hoofd.
'Die redt zich wel. Richard G heeft gezegd dat we meteen naar de plaats van afspraak moeten komen.'

Vinnie startte de vrachtwagen en zette hem meteen weer stop.
'Heb je dat gezien?'
'Wat?'
Vinnie wees naar het tuinhuis ter grootte van een bungalow dat in de tuin stond. Er kon gemakkelijk een gezin van vier personen in wonen.
'Er bewoog iets in het tuinhuis.'
Lucky Luca volgde Vinnies vinger.
'Ik zie niets.'
'Er bewoog iets. Ik ben er zeker van.'
Lucky Luca deed niet de moeite om te discussiëren. Hij stapte de vrachtwagen uit en liep door de tuin. Bij het tuinhuis keek hij door het raampje. Daarna draaide hij zich weer om en slenterde terug naar de vrachtwagencabine.
'Niets te zien.'
'Zeker?'
'Ja. Ik denk dat je last krijgt van waanbeelden. Zoals die meisjes bij je thuis. Ben je er zeker van dat die echt waren?'
Vinnie had Lucky Luca verteld over de meisjes in zijn huis. Hij had net een middagdutje gedaan toen hij geluiden had gehoord. En dan stonden er plots twee jonge dames in zijn woonkamer, waarvan één in pyjama. Hij snapte nog altijd niet wat die daar deden.
'Natuurlijk waren ze echt.'
'Misschien waren ze van de scouts of zo', opperde Lucky Luca. 'Kwamen ze taarten verkopen.'

‘Ze hoefden ze nu ook niet meteen in mijn ijskast te leggen.’
Vinnie startte de vrachtwagen opnieuw en reed weg. In zijn achteruitkijkspiegel zag hij de technicus buitenkomen. Die krabde in zijn haren en vroeg zich af waarom ze al waren weggereden.
‘Fijne machine’, zei Vinnie goedkeurend, terwijl hij nog wat extra gas gaf. ‘Waar heb je die gevonden?’
‘Geleend’, antwoordde Lucky Luca.
Vinnie moest lachen. Ze stalen nooit spullen, ze leenden die alleen maar.
‘Nee, echt!’ zei Lucky Luca. ‘Hij is van een vriend van mij. Ik heb beloofd dat ik hem terugbreng na onze laatste klus.’
Vinnie keek zijn kompaan aan. Hij leek het echt te menen. Het was misschien de eerste stap naar een eerlijk bestaan. Dat hadden ze zich in elk geval voorgenomen. Of het zou lukken was moeilijk in te schatten.
Ze reden over de snelweg. Vinnie zette de richtingaanwijzers aan en draaide af aan een tankstation. De Audi van Richard G stond hen in de verte al op te wachten. Vinnie parkeerde zijn gevaarte er netjes naast. Ze stapten uit.
‘Mooi op tijd’, zei Richard G, toen hij uit zijn Audi was gekropen. ‘Alles goed gegaan?’
‘Geen problemen gehad’, zei Vinnie.
Richard G deed teken naar zijn Audi en een van zijn medewerkers kwam eruit. Vinnie gooide hem de sleutel

toe.
'Waar mag ik hem terugzetten?' vroeg de man. 'Op de gebruikelijke plek?'
Vinnie schudde het hoofd. Op de gebruikelijke plek hadden ze de poort ingebeukt en daar stond nu bewaking.
'Bij Lucky Luca thuis', zei hij.
De man stelde geen vragen, knikte en stapte in de vrachtwagen. Vinnie vroeg zich telkens af waar ze naartoe reden. Aan wie verkochten ze de hele handel? Maar hij werd niet betaald om vragen te stellen. En van betalen gesproken, waar was het gebruikelijke koffertje dat ze kregen na elke deal?
Richard G had niets in zijn handen. Hij haalde een plan uit zijn jas en spreidde het uit over zijn motorkap. Vinnie zei echter niets.
'Laten we eens overlopen hoe we het binnenkort gaan doen', zei Richard G. 'We mogen geen risico's nemen, alles moet van de eerste keer lukken.'
Lucky Luca kuchte opvallend, wat Richard G nors deed opkijken.
'Zullen we eerst deze klus afhandelen?'
Vinnie beet op zijn tanden. Lucky Luca zei hardop wat hij had gedacht.
'Jullie krijgen alles na de laatste opdracht', zei Richard G.
'Maar...' begon Lucky Luca meteen.
Vinnie kneep hard in zijn nek. Het was niet het moment om te beginnen discussiëren met Richard G. Hij was veel te gespannen.

'Maar wat?' snauwde Richard G.
'Maar dat is een uitstekend idee', mompelde Lucky Luca met tegenzin.
Richard G keek hem boos aan, omdat hij hem had afgeleid. Hij schudde zijn grijze haren naar achteren en concentreerde zich weer op het plan.
'Luister. Zo gaan we het aanpakken.'

'Candice! Doe open!'
De stem van Kristof klonk wanhopig. Candice lag op haar bed en probeerde haar kussen in haar oren te proppen. Kristofs geschreeuw kwam er steeds bovenuit. De dubbele beglazing van hun ramen hield wel het lawaai van auto's en treinen op afstand, maar was blijkbaar niet opgewassen tegen de noodkreet van een jongen met liefdesverdriet.
Eline zat op een stoel naast Candice en draaide in het rond. Toen ze na de vijfde keer draaien met haar knie tegen het bureau stootte, hield ze op.
'Is dat al een hele dag zo?'
Candice knikte.
'Sinds twaalf uur.'
Candice was die ochtend niet uit haar bed geraakt. School kon haar op dat moment niets schelen. Ze kon alleen maar aan Kristof denken en hoe hij haar had verraden. Ze voelde zich echt misselijk, dus moest Madame maar een briefje schrijven.
Iets na de middag was de bel gegaan. Candice had de deur opengedaan en onmiddellijk weer dichtgegooid:

Kristof. Hij was naar hun school gegaan en toen hij had ontdekt dat ze ziek was, was hij haar komen opzoeken. Zijn ogen waren dof geweest, hij had duidelijk gehuild. Dat maakte het voor Candice nog moeilijker. Als hij om haar gaf, was het nog erger dat hij haar had verraden. En Kristof had zich niet zomaar laten afschepen. De hele middag had hij op de bel geduwd en om Candice geroepen. Toen haar zussen thuiskwamen, hadden ze eens raar gekeken naar de schreeuwende jongen, maar ze waren wel zo slim geweest om hem niet binnen te laten.
'Misschien spreekt hij de waarheid', opperde Eline. 'Misschien weet hij echt niet waar die schoenen vandaan kwamen.'
'Natuurlijk', rolde Candice met haar ogen. 'Als ik mijn kleerkast opentrek, liggen daar ook altijd spullen van een ander in. Dat overkomt toch iedereen?'
'Ik weet het, ik weet het', zuchtte Eline. 'Ik wil alleen maar zeggen dat iemand die jou wilde bedriegen, geen hele dag aan je deur zou staan.'
'Dat is het net', zei Candice. 'Dat weet hij ook. Hij denkt dat als hij maar lang genoeg volhoudt, ik hem wel zal geloven.'
'Ik zou willen dat Sander zo'n serenade voor mij kwam brengen', mijmerde Eline.
De deurbel ging voor een zoveelste keer.
'Kun je hem zeggen dat hij moet ophouden met aanbellen?' kreunde Candice. 'Ik word er gek van!'
Eline stond op en liep de kamer van Candice uit.

'Jij niet alleen, hoor', mompelde ze.
Candice wilde dat Madame weer thuiskwam. Ze had sinds de dag ervoor niets meer van zich laten horen. Een teken dat haar onderzoek nog bezig was. Zij zou wel raad weten met de opdringerige Kristof.
Beneden hoorde ze de deur opengaan. Daarna wat vriendelijk over en weer gemompel. Vreemd, ze had op zijn minst een boze Kristof of een boze Eline verwacht. De stemmen verplaatsten zich naar de trap. Ze kwamen naar boven. Candice drukte haar gezicht in haar kussen. Kristof had zich een weg naar binnen gevleid! Kon ze de deur nog sluiten voor ze er waren? Geen kans toe, Eline stak haar hoofd al door de deur.
'Koekoek, ik heb een bezoeker voor je.'
'Herinner me eraan dat ik jou nooit meer een opdracht geef', snauwde Candice.
'Met plezier', lachte Eline. 'Daar houd ik je aan.'
Ze trok haar hoofd terug en sprak vriendelijk tegen de bezoeker dat hij naar binnen mocht gaan. Candice draaide snel haar hoofd naar de muur.
'Hallo.'
Hij klonk rustig, helemaal niet zo schreeuwerig als daarnet voor het raam. Helemaal niet als Kristof eigenlijk. Meer als...
'Dag Cedric', zei Candice verwonderd, terwijl ze zich omdraaide en overeind kwam. 'Wat doe jij hier?'
'Ik kom je wat opfleuren', zei hij. 'Ik heb net Nathalie aan de lijn gehad. Die heeft me alles verteld.'
'Daar zou ik niet zo zeker van zijn', mompelde Candice.

Aangezien ook Nathalie tot de dievenfamilie behoorde, zou het haar verbazen als ze zomaar het hele verhaal uit de doeken had gedaan.
'Ik heb Kristof weggestuurd', zei Cedric, terwijl hij op de stoel naast het bed ging zitten.
Daar keek Candice van op. Ze had gedacht dat er een arrestatieteam of een waterkanon nodig was om Kristof weg te jagen, maar blijkbaar was een Cedric genoeg.
'Bedankt', zei ze.
'Geen probleem', glimlachte hij. 'Ik kan me voorstellen dat je op dit moment geen behoefte hebt aan iemand die de hele buurt op stelten zet.'
Candice keek Cedric even in de ogen. Ze had niet verwacht dat hij ook lief kon zijn. Meestal maakte hij vervelende of saaie opmerkingen. Ze herinnerde zich nog levendig het moment in de bibliotheek van Margaux. Hij had haar proberen te verleiden met een doorzichtige versiertruc en dure schoenen. Misschien besefte hij nu dat hij te snel had gehandeld. Iedereen kon fouten maken.
'Bedankt', zei ze nog eens.
Ondanks het feit dat hij nu meer oké leek dan vorige keer, wist ze niet wat ze tegen hem moest zeggen. Eigenlijk kende ze hem niet.
'Je gaat toch nog naar de feestjes komen?' vroeg Cedric. 'Of durf je niet meer?'
Candice haalde haar schouders op.
'Ik weet het niet. Ik denk niet dat ik er echt bij hoor.'
'Tuurlijk wel', wuifde Cedric haar reactie weg. 'Ik vertel

de anderen gewoon wat Kristof je heeft aangedaan. Dan zullen ze wel begrijpen voor wie ze moeten kiezen.'

Plots was Candice op haar hoede. Ze wist niet goed waarom, maar op de een of andere manier had Cedric dat effect op haar. Hij was degene die ervoor had gezorgd dat Noor niet meer welkom was, maar hij nodigde Candice wel uit om te blijven komen? Ze kon er maar één reden voor bedenken: hij was nog steeds verliefd op haar.

'Ik zal wel zien. Misschien is het beter als ik eerst een tijdje niet kom. Maar misschien heeft Noor wel zin.'

Die laatste zin gebruikte ze als test. Ze wilde zijn reactie zien.

'Als je dat beter vindt', zei hij zonder aarzelen. 'Noor zal je wel snel overtuigen om mee te gaan.'

Wat moest ze daarvan denken? Noor was nog steeds welkom? Misschien hadden ze gewoon wat grapjes gemaakt en vonden ze Noor best wel tof. Misschien had Noor wat overdreven.

Nee, ze had Noors reactie gezien toen die thuiskwam. Noor kon best tegen een grapje. Mensen die haar zo op stang konden jagen, hadden niet gewoon een grapje gemaakt.

'Misschien wel', zei ze en weer viel er een stilte.

Candice vroeg zich af hoe dat kwam. Cedric was best een leuke jongen, mooi gekleed, niet op zijn mond gevallen. Maar zodra Candice alleen met hem was, stokte alles. En dat had ze geen enkel moment met Kristof gehad.

'Ik vind het echt rot wat Kristof je heeft aangedaan',

sprak hij na een tijdje, hoewel hij dat eigenlijk al had gezegd. Maar afgeven op Kristof was zijn sterkste punt, dus gebruikte hij dat nog maar eens.
'Ik bedoel maar, te bedenken dat hij zomaar je kamer binnen is geweest en al je schoenen uit je kast heeft gestolen.'
Nu was Candice gealarmeerd. Wat bedoelde hij daarmee?
'Heb je de affiches niet gezien?' vroeg ze.
'Welke affiches?'
'Die waarop de schoenen staan die gezocht werden.'
Cedric schudde zijn hoofd.
'Niet opgemerkt. Ben je dan affiches gaan hangen?'
'Denk je dat ik zoiets zou doen?'
'Je zegt het toch net?'
Hier klopte iets niet. Candice wierp een blik op de schoenen die op een berg naast haar bureau lagen. Zij bewaarde haar schoenen nooit in de kast, wel in op een wanordelijke hoop. Er was maar één iemand die haar schoenen in een kast bewaarde en dat was Eva. Hoe wist Cedric dat de schoenen uit een kast kwamen? Was hij in Eva's kamer geweest?
'Het zijn helemaal niet mijn schoenen die Kristof gestolen heeft', zei Candice zonder verpinken.
Cedrics wenkbrauwen gingen omhoog.
'Echt?'
'Nee, het waren die van Eva.'
'Wat een geluk voor jou', herpakte hij zich snel. 'En pech voor Eva natuurlijk. Maar toch blijft het een smerige

daad van Kristof.'
Cedric schoof wat ongemakkelijk over zijn stoel. Candice zag hem nadenken. Wat had hij op zijn kerfstok? Of was hij gewoon verkeerd geïnformeerd?
'Waar is het toilet?' vroeg hij.
Hij wilde tijd winnen, kunnen nadenken over wat hij moest doen. Ze zag een zweetdruppeltje op zijn voorhoofd parelen. Ze moest hem op zijn gemak stellen. Hij mocht niet weten wat er in haar hoofd omging.
Ze sprong van het bed en trok hem overeind. Ze leidde hem naar de gang en sloeg haar linkerarm rond zijn schouder. Met haar rechterhand wees ze naar de trap.
'Als je daar naar beneden gaat, kom je in de hal en daar zijn twee deuren. De deur die niet de voordeur is, is het toilet.'
Ze kneep nog eens flink in zijn schouder en Cedric moest blozen van zoveel warm contact. Hij knikte en begon de trap af te lopen.
Candice bleef achter en keek hem na. In haar rechterhand had ze Cedrics portefeuille.
Snel liep ze weer de kamer in en opende de portefeuille. Het eerste wat haar opviel was hoeveel bankbriefjes Cedric bij zich had. Die liet ze echter zitten, ze was geen dievegge – op het stelen van Cedrics portefeuille na dan, maar dat was voor een goed doel. Ze opende de verschillende vakjes en vond al snel enkele foto's. Cedric toen hij klein was, Cedric op een golfbaan, Cedric achter het stuur van een mooie sportauto... En dan, hebbes, foto's van zijn familie. Broer, moeder en... vader!

Candice' vermoeden werd bevestigd: ze keek recht in de ogen van een man die ze al twee keer had ontmoet: een man met een strenge blik en grijs haar. De man van bij McDonald's en van bij Kristof thuis.
Hij was helemaal niet Kristofs vader. Hij was de vader van Cedric!
Deze keer wilde ze honderd procent zekerheid. Ze liep naar de kamer van Eline. Haar zus zat aan haar bureau boven haar huiswerk gebogen, maar ze was meer de naam van Sander aan het opschrijven dan oefeningen aan het invullen. Candice gooide de portefeuille op haar schrift.
'Kom je me betalen voor bewezen diensten?' vroeg Eline verbaasd.
'Welke diensten? Ik vraag om niemand binnen te laten en jij brengt ze tot in mijn kamer!'
'Dan zul je je opdrachten duidelijker moeten geven', bromde Eline.
'Oké, ik zal heel duidelijk zijn', zei Candice en ze luisterde even of Cedric nog niet de trap op kwam. 'Wie is dit?'
Eline fronste haar wenkbrauwen toen ze de man zag. 'Dat is onze dief. Hoe kom je daaraan?'
'Ben je zeker?' negeerde Candice haar vraag.
'Heel zeker', knikte Eline.
Ze opende haar bovenste lade en haalde er een foto uit die ze tijdens hun observatieopdracht had genomen. De man met het grijze haar gaf bevelen aan een vrachtwagenchauffeur.

‘Twee druppels water’, bromde Eline. ‘En ga je nu uitleggen wat dit te betekenen heeft?’
Candice hoorde gekraak op de trap. Cedric was terug van het toilet.
‘Later’, glimlachte ze. ‘Eerst nog van een kleinigheidje af geraken.’
Ze nam de portefeuille en hield hem achter haar rug. Toen ze de kamer uit stapte, was Cedric net boven. Ze toverde haar grootste glimlach boven.
‘Goed gevonden? Ik hoop het, want anders heb je in onze kast geplast!’
Cedric keek haar verbaasd aan. Candice gaf hem niet de tijd om te reageren. Met haar vrije hand begon ze hem weer de trap af te duwen.
‘Sorry, hoor, maar ik moet aan mijn huiswerk beginnen. Madame is nogal strikt in die dingen. Als ze hoort dat het door jou is dat ik er niet aan begin, dan sloopt ze je fiets. En dat wil je natuurlijk niet.’
‘Nee, natuurlijk niet’, mompelde Cedric.
Candice ratelde door, terwijl ze de trap af liepen. Ze hield haar hand op zijn rug en probeerde ondertussen de portefeuille weer in zijn achterzak te steken. Dat was echter moeilijker dan ze had gedacht. Eruit was geen probleem, erin zou ze nog moeten leren.
Ze moest iets anders verzinnen. En snel, want ze waren bijna beneden. Maar Madame had hen geen andere trucjes getoond. Dan maar een ouderwetse manier.
Met haar linkerhand gaf ze Cedric een flinke duw. Hij struikelde de laatste treden naar beneden en kwam op

zijn knieën terecht.
'Ai, wat doe je nu?' riep Candice uit.
Ze snelde tot bij hem en hielp hem overeind. Cedric was helemaal rood geworden, hij vroeg zich ongetwijfeld af hoe hij zo stom kon zijn om in haar bijzijn van een trap te vallen. Ondertussen liet Candice de portefeuille op de grond glijden.
'Je portefeuille is uit je zak gevallen', merkte ze op.
Cedric keek naar de grond en bukte zich snel om hem op te rapen.
'Goed dat je het ziet', zei hij, nog steeds blozend. 'Mijn vader zou me vermoorden als ik die kwijtraakte.'
'Ik heb nogal een scherp oog voor die dingen', glimlachte Candice.
Ze duwde hem wat verder in de richting van de voordeur en opende die.
'Wanneer zie ik je weer?' vroeg Cedric plots.
Candice was even verbaasd. Dacht hij nu werkelijk dat hij een goede indruk had gemaakt? Hij was wel een volhouder.
'Ik laat het je wel weten', zei ze zacht. 'Ik moet eerst alles nog verwerken. Van je weet wel.'
'O. Natuurlijk', knikte Cedric begripvol.
'Geef me je telefoonnummer. Dan bel ik je.'
Cedric begon te glunderen. Het was een plotse ingeving geweest. Candice wilde alle bewijzen verzamelen die mogelijk waren, ook al bracht ze daarmee Cedric op verkeerde ideeën. Ze gaf Cedric een papiertje en hij schreef zijn nummer erop.

'Wat is jouw nummer?' vroeg hij.
'Ik bel jou wel.'
Cedric bleef aarzelend in de deuropening staan.
'Dus...'
'Daag.'
Met een laatste duw stond hij helemaal buiten. Cedric draaide zich nog om, maar hij was te laat. De deur die hardhandig dichtgeslagen werd, miste zijn neus op een haar.

18 This is how we do it

De Mystery Girls wachtten ongeduldig tot Madame weer thuis was. Ze zaten met zijn vieren in de woonkamer, waar Candice hen net op de hoogte had gebracht van haar ontdekking.

'Dus eigenlijk kan alles snel afgelopen zijn', zei Eline.

'We geven Cedric en zijn ouders aan bij de politie en zij handelen de zaak wel verder af.'

'Goed idee', knikte Eva. 'Dan worden ze opgepakt voor het stelen van al die dure spullen en hoeven we er nooit meer iets van te horen.'

Candice keek hoofdschuddend naar Eva, die haar onschuldigste blik gebruikte.

'Jij wilt gewoon niet dat iemand ontdekt dat jouw schoenen weer terecht zijn!'

Eva sprong boos op.

'Dat is niet waar! Ik wil alleen maar het beste voor iedereen.'

Candice glimlachte. Ze wist maar al te goed dat Eva bij die iedereen in de eerste plaats zichzelf rekende.
'Ik denk niet dat we al genoeg bewijzen hebben', zei Noor. 'We hebben die man ergens gezien, en dan? We moeten hem op heterdaad kunnen betrappen. Hem en zijn helpers.'
Candice was het daar volledig mee eens. Ze moesten niet denken dat ze er zo gemakkelijk vanaf konden geraken. Zelfs al was het voor de politie genoeg bewijsmateriaal, Madame zou niet tevreden zijn. Ze had hen een opdracht gegeven en die moesten ze tot op het einde uitvoeren.
'Dat vind ik ook', zei ze hardop. 'We moeten hem in de val lokken. En zijn zoon erbij.'
'Laat het niet persoonlijk worden, Candice', merkte Eline op.
'Een klein beetje mag toch wel?'
'Vooruit dan. Omdat die Cedric er maar een gluiperd uitzag!'
Candice had het telefoonnummer van Cedric vergeleken met de sms die Vinnie had ontvangen. Die waarin hun adres stond. Het nummer was hetzelfde. Cedric had de dieven naar hun huis laten komen! Het was dus niet alleen zijn vader die smerige dingen deed.
De inbraak bij Cedric thuis was puur afleiding geweest. Ze hadden het gedaan om zich in te dekken. De politie zou nooit denken dat Cedrics vader achter de inbraken zat als ze zelf beroofd waren geweest.
'Heb je al een plan?' vroeg Noor.
Candice knikte.

'Ik heb al een paar ideeën.'
'Betekent dat dan dat we ons andere plan niet gaan uitvoeren?' vroeg Noor met een bezorgde blik op haar gezicht. 'Ik had al uitnodigingen gemaakt.'
Candice wist dat Noor veel liever eerst de rijke meisjes een lesje zou leren. Dat lag haar meer na aan het hart dan een dief die rijke mensen bestal.
'Ik denk dat we de twee kunnen combineren', antwoordde ze.
Noors ogen lichtten op.
'Echt?'
'Ja. Mag ik die uitnodiging eens zien?'
Noor liep naar de printer die naast de computer stond en nam er een blad af. Ze hield het omhoog voor de andere meiden. Het was een zilveren kaart, waarop in sierlijke letters stond geschreven:

EXCLUSIEVE TOPJUMPING.
TOPPAARDEN EN TOPJOCKEYS.
SPECIALE VIPRUIMTE ENKEL OP UITNODIGING.
CHAMPAGNE À VOLONTÉ.

'Denk je dat ze daarin zullen trappen?' vroeg Eline.
'O ja', knikte Noor met overtuiging. 'Als ze denken dat het exclusief is en dat ze champagne krijgen, komen ze. Of het nu een wedstrijd met paarden is of met springende smurfen, ze zullen er zijn.'
'Perfect', zei Candice. 'Ik zorg er via Cedric voor dat iedereen de uitnodiging krijgt. Eva, jij regelt de rest?'

'Komt in orde', zei Eva enthousiast. 'De firma "Geen doen zonder schoen" heeft een goede deal kunnen sluiten met de manege. Alles zal aanwezig zijn om het publiek een warm onthaal te geven.'
'Uitstekend', glunderde Candice. 'Maar we mogen niet vergeten dat de speciale vipruimte alleen een extraatje is. Daarna moeten we ervoor zorgen dat we Richard G te pakken krijgen.'
Ze vroeg zich af waarom Cedrics vader door de chauffeurs Richard G genoemd werd. Ze had opgezocht wat zijn echte naam was en dat was gewoon Herbert. Dan was Richard G spannender.
'Dus als ik het goed heb, wil hij de paarden stelen?' vroeg Eline.
Candice knikte.
'Dat denken we. In het bericht stond dat het talent er voor het oprapen was. Dat moet over de paarden gaan. En ik kan me voorstellen dat zo'n event niet megabeveiligd is.'
Candice haalde een blad papier uit haar zak. Reclame voor het jumpingevent, die ze had gevonden bij hun opdracht aan McDonald's. Toen had ze niet geweten wat het betekende, nu maakte het veel duidelijk.
'Weet je nog dat ik dit heb gevonden? Ze waren toen al met hun plannen bezig.'
'Ik snap het niet', zei Eva. 'Eerst breekt hij in bij rijke mensen en steelt hij allemaal van die saaie dingen. En nu wil hij paarden stelen?'
Daar had Candice ook al over nagedacht. Er zat niet echt

een lijn in. Maar dan had ze Noor wat opzoekwerk laten doen.
'Noor kan je daar meer over vertellen.'
Noor schoof haar laptop naar Eva. Het scherm toonde een glanzend zwart paard dat over een groene grasweide galoppeerde.
'Dit is een van de deelnemers.'
'Ja, en?'
'Wat denk je dat deze mooie jongen waard is?'
Eva tuurde naar het scherm.
'Weet ik veel. Een paar duizend euro?'
'Maak daar maar het honderdvoudige van', zei Noor. 'En soms zelfs meer.'
'Voor een paard?'
'Niet zomaar een paard. Een tophengst!'
De meisjes schoten in de lach. Op dat moment ging de voordeur open. Madame kwam met veel lawaai binnen.
'Meiden, goed nieuws', sprak ze toen ze de woonkamer binnenkwam. 'Ik heb de zaak bijna opgelost!'
De vier meiden keken verbaasd op. Als dat echt waar was, zouden ze hun plannen kunnen vergeten. Madame zette haar golftas op tafel, met de binnenkant naar de meiden toe. Ze trok aan een van de koordjes aan de zijkant en plots schoof er een klein televisiescherm naar voren.
'Ik zal jullie de beelden tonen', sprak Madame zonder uitleg te geven over de golftas. Het verklaarde in elk geval waarom ze die overal mee naartoe had gesleurd.
Op het scherm verschenen beelden van een groot huis.

Noor en Candice herkenden het meteen.
'Het huis van Margaux', mompelde Noor.
'Kennen jullie haar?' vroeg Madame. 'Dan had ik jullie beter laten filmen. Dan hoefde ik geen halsbrekende toeren uit te halen door over de hekken te klimmen. Daar word ik toch wat oud voor.'
Candice wist dat ze dat niet meende. Sluipen, springen en klimmen waren de dingen die Madame het liefste deed. Zo bleef ze zich jong voelen.
Op de beelden verscheen een grote vrachtwagen, een andere dan degene die Candice bij het transportbedrijf had gezien. Vinnie en Lucky Luca hadden een nieuwe vrachtwagen gevonden. De wagen reed door de poort naar binnen en een man stapte uit.
'Ze gebruiken eenvoudige trucjes', legde Madame uit. 'Ze zorgen ervoor dat de televisieaansluiting niet meer werkt en onderscheppen dan het telefoontje van de bewoners naar de provider. Ze zeggen dat ze snel iemand zullen sturen en niet veel later duiken ze op. Altijd op een moment dat er maar één iemand thuis is. En moet je zien wat er dan gebeurt.'
Madame drukte op een knopje om de beelden door te spoelen. Lange tijd gebeurde er helemaal niets. Ze moest erg lang in haar stelling gezeten hebben. Toen de beelden weer het normale tempo hadden, zagen de meiden twee andere mannen uit de vrachtwagen sluipen. Vinnie en Lucky Luca. Ze gingen zonder aarzelen de voordeur binnen, die hun kompaan op een kier had gelaten.

Madame spoelde opnieuw voort en ze zagen de mannen voortdurend heen en weer lopen tussen de voordeur en de vrachtwagen. De ene keer hadden ze een schilderij bij, de andere keer een juwelenkist of een chic kostuum. Op het einde stapten ze weer in hun vrachtwagen, deze keer vooraan. En dan ging het portier weer open. Lucky Luca stapte uit en liep naar de camera toe. De beelden begonnen te schudden.
'Dat was even spannend', grijnsde Madame. 'Gelukkig was er in het tuinhuis een boot waaronder ik me kon verstoppen.'
Madame was wel blijven filmen. Ze zagen Lucky Luca, die zijn neus tegen het venster duwde. Hij keek wat rond en liep dan weer weg.
'Ze beroven de mensen terwijl ze erbij staan', zei Madame. 'Gedurfd, maar slim. Want de ene mens die thuis is, kan niet alles in het oog houden. Bij een van de andere huizen die ik heb geobserveerd, deden ze precies hetzelfde.'
Madame toonde nieuwe beelden. Deze keer sprong Candice' hart op. Het huis van Kristof! Vinnie en Lucky Luca sjouwden dozen heen en weer. Hoe zou het met Kristof zijn? Hij zou haar vast nooit meer willen zien. Tenslotte had ze hem ervan beschuldigd een dief te zijn. Onterecht, want Kristof en zijn ouders waren zelf bestolen.
Maar hij had wel een hele dag aan hun huis gestaan. Dat betekende misschien toch dat...
Ze moest het rechtzetten. Ze moest ervoor zorgen dat de

schuldigen gestraft werden. Dan kon ze alles uitleggen en heel misschien...
'Candice!'
Madame keek haar vermanend aan.
'Even niet dagdromen. Het is belangrijk dat jullie goed volgen. We weten nu hoe de dieven het doen. Het is dus alleen nog een kwestie van de opdrachtgever op te sporen en hem op heterdaad te betrappen. We weten hoe hij eruitziet, maar voorlopig hebben we nog geen naam.'
Plots besefte Candice waarom ze Cedrics vader bij Kristof had gezien. Hij was daar om de televisieaansluiting te saboteren. Op die manier konden zijn handlangers het huis leegroven. Stom dat ze Kristofs echte vader nooit had gezien. Dan had ze meteen geweten dat er iets niet pluis was. En dan was alles nooit zo misgelopen.
Maar Cedric zelf had toch ook inbrekers over de vloer gehad? Dat was vast in scène gezet. Om niet verdacht te worden. Ze herinnerde zich dat ze net hetzelfde had gedacht over Kristof. Dat zijn ouders de inbraak hadden verzonnen om buiten schot te blijven. Het werd verwarrend.
'Candice! Probeer erbij te blijven! Ik zei dus dat het moeilijk wordt om de opdrachtgever uit zijn kot te lokken, want hij laat het vuile werk aan zijn werknemers over.'
Candice schudde glimlachend het hoofd.
'Wij hebben al een plan om hem te betrappen.'

Nu was het de beurt aan Madame om verbaasd op te kijken.
'Hoe gaan jullie dat doen?'
'Vertrouwt u ons maar.'

19 It's raining mud

Candice en Noor zaten klaar achter de ingang van de paardenmanege. Ze hadden twee bordjes aan de inkom gehangen: een met 'gewone kaartjes' en een met 'exclusieve viptickets'. De tickets die hun rijke vrienden hadden gekregen, waren die voor het vipgebeuren. En dat was precies de bedoeling, want de gewone pijl leidde naar een plekje in de tribune, de andere via een rode loper naar het midden van de renbaan.
'Hoe laat komen ze?' vroeg Noor.
'Op hun ticket staat dat ze er om vier uur moeten zijn', antwoordde Candice.
'En hoe laat is het nu?'
'Vier uur.'
Ze zouden komen, daar was ze zeker van. Ze had nog met Cedric gebeld die week. Het telefoontje was perfect volgens plan verlopen.
'Je komt toch?' had ze gezegd. 'Ik wil je graag nog eens

zien.'
Het was moeilijk geweest om die woorden over haar lippen te krijgen, maar ze had geen andere keuze.
'Natuurlijk. Al de rest gaat ook. Wat fijn dat jij ook een ticket hebt.'
Hij was verwonderd geweest dat zij, als niet-rijk persoon, ook uitgenodigd was. Ze probeerde haar afkeer niet te laten merken.
'Ja, ik ken de mensen daar goed.'
Candice had het gesprek daarna snel afgebroken. Ze wilde niet te veel vragen over details.
'Goed. Ik zie je dan zaterdag in de manege. Tot dan!'
Candice hoopte dat haar list had gewerkt. Madame zat klaar bij de paarden met haar golftas. Ze had de meiden nog laten zien dat bepaalde golfstokken eigenlijk een camera waren. Op die manier had ze al haar opnames kunnen maken. Toch vond ze ook het golfen zelf best plezierig, ze had alleen moeten opletten dat ze niet met de verkeerde stok tegen het balletje sloeg.
Madame was eerst niet opgezet geweest met het extra plan dat haar dochters hadden bedacht. Ze vond het niet serieus genoeg. Er moest een dief geklist worden, dus moest alle concentratie daar naartoe gaan. Candice en haar zussen hadden alle moeite van de wereld gehad om haar toch te overtuigen. Ze hadden moeten verzekeren dat de rijke vrienden van Noor veel vroeger kwamen dan de start van de jumping. De ene actie zou de andere niet in gevaar brengen. Ze rekenden er natuurlijk wel op dat de inbrekers pas zouden komen na de start van de

jumping. Dat was het beste moment voor hen, want dan was iedereen met iets anders bezig.
Ze hadden het plan uiterst nauwkeurig voorbereid. De plattegrond van de manege had op hun keukentafel gelegen vanaf het bedenken van het plan tot de dag van de topjumping. Zo konden ze elk detail memoriseren: vluchtroutes, schuilplaatsen, plekken om iemand in de val te lokken, ze kenden de manege op hun duimpje.
Eline zou de foto's maken en eventueel filmen, zodat ze genoeg bewijsmateriaal hadden. Noor moest de politie opvangen en hen wijzen waar ze moesten zijn. Madame had de politie ingelicht, maar ze vonden het bewijsmateriaal niet straf genoeg. Ze moesten met meer over de brug komen, voor ze in actie schoten. Madame had niet te lang aangedrongen en alleen aan de agenten haar teleurstelling laten blijken. Candice wist dat Madame nu koste wat het kost haar gelijk zou willen bewijzen. Ze was de hele tijd blijven hameren op het plan. Ze hadden het tot vervelens toe moeten herhalen. Ze moesten op alles voorbereid zijn.
Candice en Eva moesten de vrachtwagen saboteren. Madame had hen uitvoerig voorgedaan welke draden ze precies moesten loskoppelen om de auto te verhinderen te starten. Ze hadden geoefend op de auto van Madame en hadden het uiteindelijk zo vaak gedaan dat Madame hem helemaal niet meer aan de praat kreeg.
Die opdracht moesten ze met twee doen, zodat iemand op de uitkijk kon staan. Als het niet lukte, moesten ze maken dat ze weg waren. Madame wilde niet dat ze een

risico namen en dat waren ze ook niet van plan.
'Ze zijn daar', klonk Eva plots door de walkietalkie.
Eva en Eline lagen op uitkijk in de buurt van de ingang. Zodra iedereen binnen was, zouden ze de ingang afsluiten en zich bij Noor en Candice voegen.
'Wie is daar?' vroeg Madame. 'De inbreker?'
'Nee, het zijn de toeschouwers', fluisterde Candice.
'De gewone toeschouwers of de laten-we-ze-eens-een-lesje-leren toeschouwers?'
'De ik-voel-me-beter-dan-de-rest toeschouwers', antwoordde Candice. 'Maar na vandaag staan ze inderdaad bekend als hopelijk-heb-ik-mijn-lesje-nu-wel-geleerd toeschouwers.'
'Ik hoop maar dat dit een goed idee is', bromde Madame in haar walkietalkie.
Noor knipoogde naar Candice.
'En normaal leert ze iedereen zo graag een lesje!'
'Vraag maar aan Eline, haar huisarrest blijft maar duren', grinnikte Candice.
'Ssst. Ze zijn er!'
'Oké, we beginnen eraan!'
Candice balde haar vuist en hield ze omhoog. Noor deed hetzelfde en zette haar knokkels tegen die van Candice. Candice wist dat Eline en Eva ondertussen hetzelfde deden.
De dame achter de kassa nam de tickets aan van de groep die voor haar stond. Het was de vrouw waarmee Eva een deal had gesloten. De meiden mochten de vipsessie organiseren in ruil voor snoep naar believen op

het feestje van haar dochter. Ze hadden ook de nodige accreditaties gekregen om vrij rond te lopen in alle delen van de manege.
'Zijn jullie vips?' vroeg de dame.
'Wat een vraag! Natuurlijk zijn wij vips', hoorden ze Margaux snauwen. 'Of denk je dat ik zo'n dure jurk aandoe om tussen het gewone volk te zitten?'
Candice en Noor keken elkaar veelbetekenend aan. Ze konden nauwelijks nog geloven dat Margaux ooit een vriendin was geweest.
'Dan mogen jullie langs die kant gaan', zei de dame nog steeds vriendelijk. Candice en Noor hadden haar voor zo'n reactie gewaarschuwd. 'Jullie worden dadelijk opgevangen door een hostess.'
Dat was het signaal voor Candice en Noor om uit hun schuilplaats te komen. Noor ging de trap op en trok richting het hok waar de omroeper zat bij de wedstrijd. Candice ging via een deur achter het loket naar de gang en verwelkomde de bende.
'Jullie moeten de vips zijn. Kom maar mee, ik begeleid jullie naar jullie plaatsen.'
Haar hart klopte in haar keel toen de jongens en meisjes haar aanstaarden. Het beviel hen dat iemand hen behandelde als vips.
'Kunnen we al iets te drinken krijgen?' vroeg Charlotte.
'Zo dadelijk', glimlachte Candice. 'Volg mij eerst maar.'
Oef. Ze hadden haar niet herkend. Candice schikte haar korte hostessenrokje en liep door de gang. De pruik met het korte haar op haar hoofd jeukte, maar ze kon zich

inhouden om te krabben. De dikke bril verborg haar ogen en een sjaal bedekte een deel van haar kin. Als ze lang in hun gezelschap zou doorbrengen, zouden ze wel iets beginnen te vermoeden, maar dat was niet de bedoeling. Zeker niet.

Candice had erop gestaan de groep zelf te begeleiden. Ze wilde er zeker van zijn dat ze wisten met wie ze te maken hadden. Dan zouden ze hopelijk een beetje beseffen hoe arrogant ze waren.

Ze leidde de vipgroep over de rode loper naar de centrale hal. Ze wees naar een deur waardoor de rode loper verder liep.

'Langs daar.'

Het was nog donker achter de deur en ze zag dat ze twijfelden. Moesten ze in zo'n donker hol gaan lopen?

'De champagne staat klaar', knikte Candice vriendelijk.

'Dat werd tijd', zei Margaux.

Ze haalde haar schouders op en knikte naar de anderen dat ze maar moesten gaan. Ze zouden achteraf hun beklag wel doen, eerst iets drinken. Candice zelf bleef aan de deur staan en keek hoe de silhouetten van Margaux, Charlotte, Cedric en de anderen over de rode loper liepen. Ze hoorde hen hardop zeggen dat de organisatie weleens een lamp mocht aansteken. Charlotte zeurde over een droge keel en Margaux over het feit dat ze zo ver moesten wandelen, al was het in werkelijkheid slechts vijftien meter.

En dan kwamen de eerste kreten.

'Mijn schoenen!'

'Jak, wat is dit?'
'Waar is dat tapijt gebleven?'
Candice sloeg haar hand voor haar mond om niet in lachen uit te barsten. Dat was voor later. Dit was nog maar het begin.
'Doe maar', sprak ze in haar walkietalkie.
Noor drukte in het hok op een knop op een paneel en in de manege schoten felle lichten aan. Margaux en de anderen moesten hun handen voor hun ogen houden, maar het hielp niet. Ze waren bijna verblind. Felle kreten waren het gevolg.
Ze stonden tot aan hun enkels in de modder, hun schoenen waren naar de vaantjes. Zowat het ergste wat hen kon overkomen.
Dachten ze.
Candice liep snel naar een microfoon die in haar buurt stond opgesteld, nam hem in haar hand en bracht hem naar haar mond.
'Dames en heren', schalde haar stem door de luidsprekers. 'Welkom op onze exclusieve topjumping. Speciaal voor u hebben wij de mooiste mensen verzameld, de rijkste mensen, de meest fantastische mensen!'
Candice hield even in toen ze hun slachtoffers beneden zag glunderen. Ook al stonden ze met hun voeten in de modder, toch waren ze gecharmeerd als ze opgehemeld werden. Het lachen zou hen snel vergaan.
'En zij brengen voor u: het spektakel *Colours of the world*!'

Nu bespeurde Candice ook enige ongerustheid op hun gezichten. Dat ze fantastische mensen waren, geloofden ze graag, maar ze waren er niet op voorbereid dat ze moesten optreden. Hoewel Candice soms het gevoel had dat hun hele leven een optreden was.
'En de kleur die zij vandaag voor u brengen is: bruin! Met dank aan het mestkanon.'
Candice deed teken naar Eline en Eva die aan de wielen van een ijzeren gevaarte begonnen te draaien. Het was een lange verticale buis waar bovenaan een halve pijp bevestigd was. Ze diende om mest en modder van buiten op de weiden naar de manege te pompen. Toen Candice die had gezien bij het verkennen van de manege, had haar plan nog een extra dimensie gekregen.
De pijp kwam tot boven de hoofden van Margaux en de rest. Ze keken benauwd omhoog, maar ze verroerden zich niet. En dat werd hen fataal. Als een fontein schoot de mest uit de pijp en verspreidde zich helemaal over de jongeren in het midden van het veld. In enkele tellen waren ze van kop tot teen besmeurd. Hun kreten van afschuw werden gedempt in de dikke brokken modder en al snel zeiden ze niets meer, want ze wilden niet nog meer viezigheid in hun mond krijgen.
'Dames en heren, nog een daverend applaus voor onze clowns!' riep Candice door de microfoon, terwijl ze haar pruik af deed. 'Want laten we niet vergeten dat we allemaal dezelfde zijn als we bedekt zijn onder een dikke laag mest!'
Ze wist dat het een klein beetje fout was om de bende zo

beet te nemen. Maar het was ook heel fout geweest om Noor uit te lachen. Hopelijk hielp dit hen om te beseffen hoe ze zich hadden misdragen. Candice had er geen problemen mee om hen achteraf de hand te schudden en het allemaal uit te klaren. Al zouden ze dan wel eerst hun handen moeten wassen.
Ze hoorde ook haar zussen juichen. Hun plan was geslaagd. Maar lang konden ze niet van hun triomf genieten.
'Meisjes, we hebben bezoek', klonk Madame plots door de walkietalkie.

20 Bring back my horses to me

De meisjes haastten zich naar de stallen. Madame zat met haar rug tegen de muur en bekeek ingespannen haar scherm. De zussen lieten zich hijgend naast haar zakken. Madame legde haar vinger op haar mond en wees dan naar het scherm.
'Ze komen', fluisterde ze.
Candice zag een grote vrachtwagen in de verte, met de laadklep naar beneden, klaar om snel dingen in te laden. Iets daarvoor liepen vier mannen. Ze herkende Cedrics vader meteen. En naast hem liepen Vinnie en Lucky Luca. De vierde man had ze ook al eens gezien. Het was een van de handlangers van Richard G. Een van de mannen die aan McDonald's de vrachtwagen van Vinnie of Lucky Luca had overgenomen.
'Wat doen we?' vroeg Eline.
'We houden ons aan het plan', antwoordde Madame.
'De politie is gewaarschuwd.'

Ook al had Madame hen tijdens de week verschillende malen uitgelegd hoe ze te werk zouden gaan, het was altijd bij een theoretische oefening gebleven. Maar nu leek alles plots zo echt.
'Ik vraag me toch nog altijd af waarom ze hem Richard G noemen', mompelde Candice terwijl ze naar Cedrics vader op het scherm wees.
Madame bekeek de man wat beter en glimlachte.
'Richard Gere', zei ze zacht.
'Wie?' vroeg Candice.
'Zoek dat maar eens op, we beginnen eraan.'
Madame en de meiden staken allemaal hun vuist naar voren en tikten ze tegen elkaar. Daarna verspreidden ze zich zo geruisloos mogelijk.
Eline klom via een ladder naar boven om zich op de hooizolder te verbergen, Noor liep terug naar de manege om ervoor te zorgen dat Cedric niet per ongeluk zijn vader tegen het lijf liep en om zo naar de straat te gaan waar ze de politie zou opwachten. Candice en Eva liepen met een grote boog om de mannen heen, in de richting van de vrachtwagen.
'Hadden we dit niet beter allemaal aan de politie overgelaten?'
'Ik snap wat je bedoelt', bromde Candice.
Zonder bewijzen kwamen ze niet in actie, had Madame gezegd. Maar nu zouden ze wel moeten komen: de dieven waren er. Hoeveel meer bewijs kon je verwachten?
Ze liepen licht voorovergebogen door een klein bos, een

half oog op de wei gericht waar de mannen door stapten. Aan de rand hielden ze halt.
'Hier stopt onze dekking', zei Candice. 'We moeten lopen.'
'En als ze ons zien?'
'Dan lopen we zo hard mogelijk verder.'
Candice sprong op en begon in de richting van de vrachtwagen te rennen. Noor volgde haar op de voet. Ze probeerde tegelijk opzij te kijken, maar dat was moeilijk. Ze zou erop moeten vertrouwen dat de mannen enkel oog hadden voor de stallen.
Met een bonkend hart kwamen ze aan de vrachtwagen. Ze lieten zich tegen het portier vallen dat zich buiten het zicht van de mannen bevond.
'Hebben ze ons gezien?' vroeg Eva.
'Ik denk het niet', hijgde Candice. 'Anders hadden ze ons al wel bij de kraag gevat.'
'Dat is een leuke gedachte! Nu ben ik helemaal ontspannen.'
'Mooi, dan kunnen we maar beter voortmaken.'
Candice voelde aan het portier en trok het gemakkelijk open. Erg op hun hoede waren deze mannen niet. Als dieven zouden ze toch moeten weten dat je maar beter je wagen op slot kunt doen.
'Wacht even', tikte Eva op haar schouder. 'Kijk daar.'
Candice draaide haar hoofd. Eva wees naar de dure Audi die naast de vrachtwagen stond. De auto van Cedrics vader.
'Moeten we die ook saboteren?'

'Dat wordt moeilijk. Ik wed dat daar wel een alarm op staat. Laten we ons eerst maar concentreren op de vrachtwagen.'
Candice klom in de cabine en keek door het raampje. De mannen hadden bijna de stallen bereikt. Wat zou er gebeuren als de politie te laat kwam? Dan hadden ze wel de bewijzen, maar geen dieven. Hopelijk zouden ze hen dan later nog kunnen oppakken. Candice wist in elk geval waar Cedrics papa woonde.
Eva had zich naast haar gezet en haalde een schroevendraaier en een beitel boven. Ze stak de beitel in een gleuf onder het stuur en klopte erop met de achterkant van de schroevendraaier. In een mum van tijd kwam de kunststoffen plaat los. Stevig materiaal was het niet.
Samen bekeken ze de draden die tevoorschijn kwamen. Ook al had Madame het zo vaak voorgedaan, toch zag alles er anders uit. Dit was geen gewone auto.
'Welke zijn het?' vroeg Eva.
'Ik weet het niet', antwoordde Candice. 'Zal ik Madame oproepen?'
Eva wierp een blik op de stallen. De mannen waren verdwenen. Ze schudde het hoofd.
'Die is druk bezig nu. We kunnen haar beter niet afleiden.'
Candice krabde op haar achterhoofd en knikte naar de draden.
'Welke draden moeten we dan nemen?'
Eva haalde haar schouders op.

‘Wat denk je van allemaal?’
‘Uitstekend idee.’
Eva haalde een schaar boven en begon te knippen. De draden waren echter steviger dan verwacht, waardoor ze flink moest doorknijpen.
‘Wie heeft die gemaakt? Daar geraak je bijna niet door!’
‘Ik denk dat dat de bedoeling is’, merkte Candice op. Ergens vond ze het een geruststellende gedachte dat auto’s niet zomaar uit elkaar vielen. Alleen kwam het nu niet zo goed uit.
Terwijl Eva verder knipte, keek Candice weer naar de stallen. Haar keel werd op slag kurkdroog. Ze stootte Eva aan, maar miste haar arm en gaf zo een stomp in haar rug.
‘Au! Wat...?’
‘Ze zijn er al!’
Ook Eva keek nu verbaasd op. De mannen leidden de paarden kalm maar snel de stallen uit. De dieren waren verrassend rustig en volgden hun ontvoerders gewillig. Richard G was de enige die niet wandelde, hij zat op een paard en voerde de troep aan.
En in zijn armen hield hij Eline vast.
‘Hij heeft Eline’, mompelde Candice verbijsterd. ‘Hoe kan dat?’
‘Geen idee’, zei Eva. ‘Maar als we niet maken dat we wegkomen, heeft hij ons ook!’
Ze schoven snel de zetels af naar buiten en sloten het portier. Ze hadden slechts enkele draden kunnen doorknippen. Hopelijk was dat voldoende. Ze hoorden

het gehinnik van de paarden dichterbij komen.
'Wat doen we?'
'We moeten Eline redden', zei Candice vastberaden. 'Hij wil vast geen getuigen.'
'We kunnen ons verstoppen in de koffer van zijn auto.'
Candice schudde het hoofd.
'En wat dan? Dan geraken we er niet meer uit!'
'Dan moeten we de auto saboteren.'
'Daar is geen tijd meer voor.'
'Nou, jij bent ook niet echt een hulp, hoor.'
Candice probeerde na te denken. maar de klok tikte. Als de mannen hen ook zagen, konden ze het net als Eline schudden.
'We moeten hen afleiden. Hen ophouden tot de politie komt.'
'Maar hoe?'
Daar had Candice geen antwoord op. Wat konden zij beginnen tegen vier mannen? Misschien als Madame erbij was, dan... Waar was Madame eigenlijk? Had zij gezien dat Eline in de greep van de dieven was?
'We stelen zijn sleutels uit zijn broekzak', opperde Eva wanhopig. 'Dan kunnen ze niet weg.'
Ze waren vlakbij. Candice hoorde de paarden aan de andere kant van de vrachtwagen. Ze moesten nu beslissen.
'Het is het beste wat we hebben', mompelde ze. 'We doen het.'
Ze schoven onder de vrachtwagen en verborgen zich achter een van de wielen.

'Ik hoop dat je de draden goed hebt doorgeknipt', zei Candice. 'Want als de vrachtwagen vertrekt...'
Boven zich hoorden ze het getrappel van hoeven. De paarden werden in de laadruimte geleid. Het leek alsof ze nu pas beseften dat er iets niet klopte en ze begonnen steeds meer te steigeren. De mannen vloekten luid.
'Laat me los!'
Cedrics papa kwam tevoorschijn, met in zijn armen een spartelende Eline.
'Ik weet wie je bent! Je maakt geen schijn van kans!'
Dat had Eline beter niet gezegd. De man keek haar aan met half dichtgeknepen ogen. Er speelde een flauwe glimlach om zijn lippen.
'Denk je dat ik je nu nog laat gaan?'
Eline besefte haar fout en zweeg. Haar ogen schoten naar alle kanten, op zoek naar een uitweg. De man nam een autosleutel uit zijn broekzak en drukte op de knop om de auto te ontgrendelen. Daarna stak hij hem snel weer weg om Eline in bedwang te kunnen houden.
'Rechterbroekzak', fluisterde Eva.
De man opende het portier aan de achterkant en duwde Eline er hardhandig in. Hij vlamde het portier weer toe, stak zijn hand in zijn broekzak en sloot de auto zonder de sleutel eruit te halen. Eline rukte aan het portier, maar er kwam geen beweging in. Er zat een kinderslot op de auto.
'We moeten nu iets doen', zei Eva zacht. 'Anders rijdt hij weg.'
'Oké', knikte Candice. 'Ik zorg voor de sleutel, jij voor de

afleiding.'
'Wat?' reageerde Eva. 'Wat moet ik doen?'
'Verzin iets', gebood Candice. 'Dat doe ik ook.'
Ze kroop van onder de vrachtwagen uit en stak haar armen in de lucht.
'Meneer, meneer!'
Ze zorgde ervoor dat ze zo snel mogelijk bij Cedrics papa was. Voor die zich verbaasd had omgedraaid, stond ze al bij hem en had ze haar hand op zijn arm gelegd. Ongeveer zoals ze eerder bij zijn zoon had gedaan.
'Meneer, ik zoek de weg naar de manege. Ik loop de hele tijd verkeerd en ik moest er allang zijn.'
De man bestudeerde haar argwanend. Candice besefte dat haar smoes niet helemaal geloofwaardig was. Ze had geen ruiterkleren aan en ze had ook geen tas bij waar die in konden zitten.
Of had hij haar herkend? Ze hadden elkaar al eens gezien bij Kristof thuis. Maar Candice droeg nog steeds haar vermomming. Als Cedric haar al niet had herkend, dan zeker zijn vader niet.
'De manege is daar', wees hij met een nauwelijks opgestoken hand.
'Bedankt meneer, u bent mijn redding.'
Candice drukte de man dichter tegen zich aan. Haar hand gleed naar zijn broekzak. Ze kwam eerst een vuile zakdoek tegen, maar dan griste ze de autosleutel mee. Hebbes.
'Het is al goed. Maak dat je wegkomt.'
Hij duwde Candice van zich af, niet opgezet met de

opdringerigheid van de vreemde meid. Candice glimlachte nog een keer en draaide zich om. Ze durfde niet naar Eline te kijken uit schrik zich te verraden. Ze kon niet geloven dat het zo gemakkelijk was gegaan. Haar vreugde was dan ook van korte duur.
'Mijn sleutel!'
Candice wierp een blik over haar schouder en zag de man woedend naar de autosleutel zoeken. Op dat moment kwam Eva van onder de vrachtwagen vandaan. Ze greep de man bij zijn arm.
'Meneer, kunt u me zeggen waar de manege is? Ik moest er allang zijn.'
Cedrics papa keek verbaasd naar het nieuwe meisje. Die aarzeling was genoeg voor Candice. Ze zette het op een lopen. Ze moest naar het bos, dat was haar enige kans om te ontkomen.
De man had Eva van zich afgeschud en zette de achtervolging in. Candice voelde hem snel dichterbij komen, hij nam veel grotere passen dan zij. Ze had de bomen bijna bereikt, maar wat dan?
Ze haalde diep adem en probeerde te versnellen, maar dat lukte niet meer. De bomen, zover was ze al. Als ze nu tussen de struiken rende, zou de man haar misschien niet volgen, uit angst zijn kostuum vuil te maken. Of was dat ijdele hoop?
Candice keek nog eens achterom en dat werd haar fataal. Haar voet bleef steken achter een grote boomwortel en ze struikelde. Ze probeerde snel recht te krabbelen, maar het was te laat. De dreigende schaduw van Cedrics papa

hing al over haar heen.
'Wie ben jij? Hoor jij bij dat vervelende wicht dat ons zat te bespioneren in de stallen?'
Candice keek naar boven. Het gezicht van de man was knalrood. Ofwel was hij het niet meer gewend om aan sport te doen, ofwel was hij heel erg boos.
'Wel?'
Ze haalde haar schouders op. Ze was niet van plan om hem iets te zeggen. De man stak zijn hand uit.
'Mijn sleutel.'
Zou Eva hen achterna gekomen zijn? Misschien kon zij haar helpen. Maar rondom hen was er niemand, geen enkele beweging. Alleen bomen en struiken. En die zouden haar niet te hulp schieten.
'Het kan ook op een andere manier', zei de man dreigend en hij balde zijn vuist.
Candice omklemde de sleutel zo hard ze kon. Hij mocht de sleutel niet in handen krijgen. Maar ze kon hem niet blijven vasthouden. De man zou haar vingers breken om de sleutel te bemachtigen. Ze moest iets anders bedenken. Plots verscheen er een grijns op haar lippen.
'*I want to get away, I want to fly away, yeah*', zong ze met een glimlach.
'Wat?' vroeg de man verbaasd. 'Wat ben jij voor een raar kind. Wat bedoel je daarmee?'
Candice antwoordde niet. Ze zou hem tonen wat ze wilde zeggen. En hij zou het snel begrijpen. Met een krachtige zwaai wierp ze de sleutel achter zich. Hij maakte een grote boog en belandde meters verder in het

dichte groen.
'Verdomme!' vloekte de man.
Hij keek van Candice naar de plek waar de sleutel lag.
'Jij, jij!' dreigde hij met een zwaaiende vuist.
Maar dan bedacht hij dat zijn sleutel belangrijker was en liep hij weg. Hij zette zich op zijn knieën en begon met zijn handen door het groen te wieden. Hij was zo druk bezig met zoeken dat hij niet lette op het hoefgetrappel dat steeds dichterbij kwam. Candice keek wel op en kon nog net opzij rollen voor het aanstormende paard.
De ruiter was Madame, die scheef op haar paard hing. Ze stuurde het dier net langs Cedrics papa en sprong in zijn nek. Toen die besefte wat er gebeurde, lag hij al met zijn gezicht in het mos, met Madame boven op hem.
'Laat me los!' riep de man luid.
Hij probeerde onder Madame uit te kronkelen, maar haar greep was te stevig.
'Waarom zou ik dat doen?' vroeg Madame. 'Ik heb te veel moeite gedaan om je te vangen om je dan weer te laten gaan. Ik ben geen visser, hoor.'
Ze draaide zich naar Candice, die langzaam overeind kwam en het gras van haar kleren schudde.
'Wat vond je van mijn sprong?'
'Geweldig', glimlachte Candice. 'Een indiaan had het niet beter gedaan.'
'Dat beschouw ik als een compliment! Ik denk alleen dat ik de komende dagen behoorlijk stijf zal zijn.'
De man begon zich weer in alle mogelijke bochten te wringen.

'Laat me los! Of ik doe je wat!'
Madame was niet onder de indruk van zijn dreigement. Nu ja, Madame was eigenlijk nooit onder de indruk van dreigementen. Zelfs als de rollen omgekeerd waren geweest en zij in de greep van de man lag, dan nog zou ze met hem gelachen hebben.
'Hoe ga je dat doen? Ga je me proberen dood te kietelen?'
De man gromde iets onverstaanbaars, maar bewoog niet meer. Madame haalde handboeien uit haar zak en boeide de handen van de man op zijn rug.
'Zo, die gaat nergens meer heen.'
'Waar zijn de anderen?' vroeg Candice.
'De politie is aangekomen', stelde Madame haar gerust. 'Ze hebben de hele bende kunnen oppakken. Je hebt goed gehandeld, want anders was deze kronkelaar misschien weggereden.'
Candice haalde opgelucht adem. Dan had Eva zich in veiligheid kunnen brengen. Ze hoefde zich niet schuldig te voelen dat ze haar zus alleen had gelaten.
'En Eline?'
'Die zit nog in de auto. We kregen hem niet meteen open. Waar is de sleutel trouwens?'
'Die heb ik weggegooid. Die ligt nog ergens in het gras.'
Madame keek even rond zich, maar zag niets liggen. Ze trok de man overeind en haalde haar schouders op.
'Dat zien we wel. Voorlopig heeft ze dan ook maar autoarrest!'

21 Crazy little thing called love

Candice keek voor de zoveelste keer in de spiegel, controleerde of haar haren goed lag, of er niets tussen haar tanden zat en of haar kleren niet verkreukt waren. Alles was nog in orde, wat normaal was, want ze had tien seconden geleden ook gekeken.
Ze was niet meer zo zenuwachtig geweest sinds haar zevende verjaardag. Toen was ze voor haar verjaardagsfeest nog naar de dansles geweest en op weg naar huis waren ze in een zware file beland. Candice had voortdurend gedacht dat ze te laat zou komen op haar eigen feest. Dat alleen was nog niet zo erg, maar ze dacht ook dat als ze te laat was, iedereen zijn cadeautjes weer mee naar huis zou nemen. En die gedachte had haar doen zweten.
Net als nu.
Kristof zou langskomen. Dat had Noor toch gezegd. Zij had Kristof gebeld en hem alles uitgelegd. En ze had

haar verhaal besloten door te zeggen hoeveel spijt Candice van alles had. Maar dat ze er ook niet veel aan kon doen, omdat het Cedric was die hen er allebei had ingeluisd.
Toen Cedric op het eerste feestje had gemerkt dat Candice liever met Kristof babbelde dan met hem, was hij woedend geworden. Uit wraak wilde hij Candice' schoenen stelen en haar imponeren door haar nieuwe schoenen te geven. Maar hij koos de verkeerde kamer. Hij liet Vinnie en Lucky Luca langskomen en die namen alle schoenen van Eva mee. Pas later had Cedric ze in de kast van Kristof laten leggen. In de hoop dat Candice ze daar zou vinden. En het was hem gelukt: Candice dacht dat Kristof een dief was.
Bijna was Cedric ermee weggekomen. Gelukkig had hij zichzelf verraden. Candice werd opnieuw boos als ze aan Cedric dacht. Dat hij haar op zo'n manier voor zich had willen winnen! Door hem was ze Kristof kwijtgespeeld. Want ze geloofde niet dat Kristof zou komen. Ze had hem uitgemaakt voor een dief, ze had niet naar hem geluisterd. Had ze het hem kunnen vergeven als de rollen omgekeerd waren?
Noor had gezegd dat Candice op hem wachtte. Dat de beslissing bij hem lag en dat hij goed moest nadenken. Want een Mystery Girl liet je niet zomaar staan.
'Hij komt niet!'
Candice liet zich in de zetel ploffen. Naast haar zat Eva haar boekhouding te maken. Ze rekende uit hoeveel winst ze had gemaakt met haar actie 'Geen doen zonder

schoen'. De lijst met verkopen was in elk geval erg lang.
'Hij komt wel, maak je maar geen zorgen', zei Eva zonder op te kijken. 'Je bent een fantastische meid. Dat weet hij ook wel.'
Ze had het bijna automatisch gezegd, alsof ze een nieuwsbericht aan het voorlezen was.
'Bedankt voor de lieve woorden.'
'Graag gedaan. Nog iets?'
'Misschien nog een knuffel?'
'Kom maar hier.'
Eva spreidde haar armen zonder haar blik van haar lijst af te wenden.
'Laat al maar', lachte Candice. 'Ik zou niet te veel genegenheid willen ontvangen.'
'Genoteerd.'
De telefoon rinkelde en alsof het een startsein was bij een loopwedstrijd kwam Eline de woonkamer in gerend.
'Niet opnemen! Niet opnemen!'
Eva keek Eline niet eens aan en nam toch de telefoon op.
'Geen doen zonder schoen, met Eva.'
'Geef hier, dat is Sander!' riep Eline opgewonden en ze griste de telefoon uit Eva's handen.
'Ik mag hem straks weer zien', glunderde ze voor ze haar oor tegen de hoorn duwde.
Dat wisten Candice en Eva al langer. Ze hadden de hele dag niets anders gehoord. Eline liep van boven naar beneden door het huis om te vertellen dat ze Sander weer zou zien. Dat ze dat telkens weer tegen dezelfde mensen zei, kon haar niets schelen.

Toen Candice en Madame weer bij de auto en de vrachtwagen waren aangekomen, had Eline nog steeds in de Audi gezeten. Ze had een van de instellingen van haar fototoestel verkeerd gezet, waardoor de flits was afgegaan toen ze een foto van de dieven trok. Richard G had meteen gereageerd en Vinnie en Lucky Luca op haar af gestuurd. Het was een koud kunstje geweest voor de twee fitnessfreaks om Eline te overmeesteren. Madame had moeten afwachten, want op haar eentje kon ze niet winnen van vier mannen. Ze had alles gefilmd. Zodra ze kon, had ze een paard genomen en was ze achter Richard G aan gereden. De politie had ze naar de vrachtwagen gestuurd.
Madame had zich eerst nog een tijdje vrolijk gemaakt over Elines gedwongen opsluiting in de auto. Ze zei dat dat een goed idee was voor de volgende keer dat ze iemand huisarrest gaf. Pas toen Eline boos op het raam was beginnen te bonken, had Madame een van haar golfstokken genomen en het raampje ingeslagen.
Daarna had ze gezegd dat ze dat een mooi symbool vond om ook het einde van Elines huisarrest aan te kondigen.
'Met Eline. Wat? O.'
De glimlach verdween op slag van haar gezicht. Ze gaf de hoorn weer aan Eva.
'Het is voor jou.'
Boos verdween Eline weer uit de kamer. Eva keek haar glimlachend na.
'Met Eva. Sorry mevrouw, onze actie is afgelopen. We hebben, eh, genoeg schoenen verzameld. Een donatie?'

Eva legde de hoorn in haar schoot en kneep haar ogen dicht. Candice zag de twijfel op haar gezicht.
'Nee, mevrouw, alles is echt afgelopen. Oké, bedankt, dag.'
Sinds Eva haar schoenen terug had, durfde ze haar actie niet meer voort te zetten. Tenslotte was haar enige reden voor een actie verdwenen. Maar ze had in elk geval genoeg verdiend om haar toekomstige schoenencollectie te bekostigen.
De deurbel deed Candice' hart sneller slaan. Was Kristof hier? Ze wilde opspringen en naar de deur lopen, maar Eline was haar voor. Met een grote glimlach opende ze de deur.
'Sander! Eindelijk, je bent...'
Maar ze verstomde onmiddellijk toen ze twee kleine jongens voor zich zag staan. Ook Candice fronste achter Eline haar wenkbrauwen. Wat kwamen die doen?
'Wie zijn jullie?' stamelde Eline teleurgesteld.
De kinderen keken haar verlegen aan, maar antwoordden niet.
'Kunnen jullie al praten?' vroeg Candice.
Het antwoord kwam van achter hen. Madame duwde hen opzij en trok de kinderen naar binnen.
'Mijn bezoek is er! Kom binnen, beste kinderen. Laat je niet afschrikken door deze verliefde pubers. Die geloven nog in sprookjes!'
Madame leidde de kinderen naar binnen en zette hen op de zetel naast Eva. Die keek al even verbaasd als haar zussen.

‘We krijgen er toch niet nog twee broertjes bij?’
‘Natuurlijk niet!’ lachte Madame. ‘Alhoewel, als ik hen zie zitten, zou ik hen zo adopteren!’
De jongens keken een beetje angstig naar Madame.
‘Maar wij hebben al een mama’, zei het ene jongetje voorzichtig.
‘Natuurlijk, ik maakte maar een grapje’, stelde Madame hem gerust.
Daarna richtte ze zich tot Eva.
‘Eigenlijk komen Arne en Tomas voor jou. Ze willen je iets vertellen.’
‘Komen jullie voor mij?’ vroeg Eva. ‘Wel, vertel dan maar!’
De jongens keken elkaar zenuwachtig aan, niet goed wetend waar te beginnen en onder de indruk van de aandacht van al die meisjes.
‘Jullie doen een actie, is het niet?’ spoorde Madame hen aan.
Ze knikten, maar hun monden bleven gesloten.
‘En wat voor actie is het, Arne?’ vroeg Madame.
‘Het is voor de arme kindjes’, antwoordde Arne nu toch.
‘We hebben al wafels verkocht en taarten.’
‘En we hebben ook een wandeltocht gedaan’, voegde Tomas eraan toe.
Candice keek van Madame naar Eva naar de jongens.
Hier zat iets achter, die jongens waren er niet zomaar.
De pretoogjes van Madame verraadden dat.
‘Wat gaan jullie met het geld doen?’ vroeg Madame.
‘Daarmee kunnen we de kindjes water geven, een heel

jaar lang', zei Arne met veel overtuiging.
'Dat is lief', knikte Madame. 'En hebben jullie al genoeg?'
De jongens schudden het hoofd.
'Nee, en dat is spijtig, want nu hebben niet alle kindjes water.'
Madame draaide haar hoofd naar Eva, die dieper onderuitgezakt was.
'Hoor je dat? Dat is wel spijtig, hé, dat ze die kinderen niet kunnen helpen.'
Het werd stil. Eva begon te blozen en had de zetel stevig vast. Ze wist waar Madame op uit was. Iedereen in de kamer wist het. Behalve de jongens misschien. Die staarden naar de grond en pulkten in hun neus.
'Zouden jullie het tof vinden als jullie wel genoeg geld hadden?' vroeg Madame.
'Ja, heel tof!' riep Tomas enthousiast. 'Want dan kunnen al die kindjes evenveel drinken als wij.'
Eva had haar ogen dichtgeknepen. Ze wist dat ze niet kon winnen. Madame had haar strijd strategisch zo goed voorbereid dat er niets tegen te beginnen viel.
'En dan zijn alle kindjes ook gelukkig', voegde Arne er zacht aan toe. 'En dat is het belangrijkste.'
Dat laatste zinnetje was de druppel voor Eva.
'Oké, oké! Het is al goed! Jullie krijgen het. Jullie krijgen alles! Dan kunnen alle kindjes drinken!'
De ogen van Arne en Tomas werden groot.
'Wat krijgen we?' vroeg Tomas onzeker.
Madame legde haar hand in Eva's nek en kneep er zacht

in.
'Eva zegt dat ze ervoor zal zorgen dat jullie actie genoeg geld opbrengt. Eva heeft ook een actie gedaan voor de arme kindjes en ze is blij dat ze jullie kan helpen.'
Eva schoof bijna tot op de grond. Ze schudde haar hoofd heen en weer.
'En Eva loopt dan wel op oude schoenen', zuchtte ze. 'Dan is iedereen gelukkig, behalve zij.'
Candice had medelijden met haar zus, maar tegelijk moest ze lachen. Dat was typisch voor Madame. Ze had haar bedenkingen gehad bij Eva's actie, maar toch had ze niets gezegd. Ze had Eva rustig laten voortdoen, want ze wist toen al dat Eva het geld niet zou kunnen houden. Eigenlijk was de actie de hele tijd voor het goede doel geweest, alleen had Eva dat zelf niet geweten.
Madame beloonde Tomas en Arne met een snoepje en begeleidde hen naar buiten. Ze hadden hun werk goed gedaan, ook al snapten ze het zelf niet helemaal. Enkele seconden later ging de deurbel opnieuw.
'De toffe jongens komen jullie geld ook halen', bromde Eva. 'Of misschien moeten ze ook mijn kleren hebben!'
Candice lachte, klopte Eva bemoedigend op haar schouder en liep dan naar de deur om te kijken wat de jongens vergeten waren. Maar ook deze keer was Eline haar voor. Ze glipte onder Candice' oksel door, legde ondertussen haar haren goed en opende met de stralendste glimlach de deur.
'Sander!'
Kristof keek verbaasd op toen hij zo begroet werd.

‘Nee, ik ben Kristof. Ik kom voor Candice.’
Candice slikte. Hij was gekomen! Ze duwde de beteuterde Eline opzij en leunde tegen de deurstijl.
‘Hoi.’
‘Dag Candice.’
Hij keek haar ernstig aan. Hij was vast gekomen om te zeggen dat hij niets meer met haar te maken wilde hebben. Dat zij of haar zussen hem niet meer moesten opbellen met hun verhalen.
Candice begon sneller te ademen. Ze keken elkaar aan alsof ze vreemden voor elkaar waren. Alsof ze die geweldige namiddag in het park nooit beleefd hadden.
‘Mag ik binnenkomen?’
Hij wilde het dus toch netjes doen. Het niet uitmaken in het bijzijn van haar zussen. Zo beleefd was hij wel. De tranen stonden Candice in de ogen.
‘Ja, natuurlijk. Kom maar mee. We gaan naar mijn kamer.’
Eva en Eline stonden nieuwsgierig achter haar. Benieuwd wat er zou gaan gebeuren, teleurgesteld dat Candice hem niet meenam naar de woonkamer, waar ze alles zouden kunnen volgen.
Ze liepen de trap op in stilte. Candice liet Kristof haar kamer in, sloot de deur en ging op het bed zitten. Kristof bleef staan, hupte onhandig van zijn ene been op zijn andere.
De stilte bleef duren. Kristof keek naar de grond en Candice naar het plafond. Waarom maakte hij er geen korte metten mee? Hoe sneller hij de woorden uitsprak,

hoe sneller ze verlost waren van die ondraaglijke stilte. En hoe sneller Candice kon beginnen te rouwen om haar verloren liefde.
'Het spijt me', stamelde Kristof uiteindelijk, zijn ogen nog steeds naar beneden gericht. 'Ik...'
'Nee, het spijt mij', flapte Candice eruit.
Ze wilde zich niet zomaar gewonnen geven. Ze wilde haar laatste kans om hem te overtuigen optimaal gebruiken.
'Ik had naar je moeten luisteren. Ik had je moeten geloven. Maar het was allemaal zo vreemd. Het ene moment was ik stapelverliefd op je en het volgende lagen Eva's schoenen in je kast. Ik kon het niet plaatsen, ik wist niet wat ik moest doen. Maar als ik even had nagedacht, dan...'
Candice hapte naar adem.
'Dan...'
Ze stond op van het bed en nam zijn hand vast. Deze keer keek hij wel op. Candice zocht zijn ogen.
'Dan had ik je misschien niet moeten verliezen.'
Er rolde een traan over haar wangen. Ze had zich nochtans voorgenomen zich sterk te houden. Hem niet te laten merken hoe erg ze het vond. Maar dat kon ze niet, besefte ze nu. Ze vond het wel erg. Heel erg.
'Mag ik even uitspreken?' vroeg Kristof met een schorre stem. Hij keek haar recht aan. Droomde ze of zag ze een flauwe glimlach op zijn gezicht?
'Het spijt me dat ik niet langer heb volgehouden om je te overtuigen', begon hij. 'Het spijt me dat ik een eikel als

Cedric in mijn vriendenkring had. En het spijt me vooral dat ik jou een week heb moeten missen!'
Candice keek hem met grote ogen aan. Meende hij dat? Had hij haar gemist? Haar hart begon weer iets sneller te slaan.
'Wat bedoel je daarmee?'
Ze wilde honderd procent zeker zijn deze keer. Kristof legde zijn armen om haar schouders.
'Ik bedoel dat ik wil vragen of je weer mijn liefje wilt zijn.'
Candice kreeg een krop in haar keel. Ze wilde het uitschreeuwen, ze wilde liedjes zingen, maar er kwam niets uit.
In plaats daarvan drukte ze een zachte kus op zijn lippen. Ze wist zeker dat hij dat even goed vond als haar woorden. Daarna legde ze haar hoofd op zijn schouder. Zijn omhelzing werd steviger. Zo zou ze de rest van haar leven kunnen blijven staan.
Als ze geen zussen had gehad.
Ze hoorden gestommel aan de deur en stemmen die riepen dat ze moesten opletten. Niet veel later viel de deur open en rolden haar zussen de kamer in.
'Ik zei toch dat je niet met drie tegelijk kunt afluisteren', vermaande Eva de andere twee.
Daarna draaide ze zich naar Candice en Kristof.
'Sorry voor de onbeleefdheid van mijn zussen', verontschuldigde ze zich. 'Maar... Jullie zijn weer samen!'
Die woorden werden gevolgd door het gegil van de drie

meiden, die zich om Candice en Kristof heen drukten.
'O ja', fluisterde Candice in Kristofs oor. 'Dat moet je misschien nog weten: als je mij neemt, krijg je er mijn zussen bij.'
'Geen probleem', grinnikte Kristof. 'Als ze allemaal zoals jij zijn, is het een goeie deal.'
Het gejuich werd onderbroken door Eline, die zich plots losmaakte en haar hand naar haar oor bracht.
'Wacht!' riep ze. 'Ik hoor iets!'
Kristof en de meiden luisterden ook, maar ze hoorden niets.
'De telefoon gaat!' zei Eline opgewonden.
Zonder nog iets te zeggen, spurtte ze de trap af. De rest volgde meteen en kwam met een hels gedonder naar beneden. Madame, die in de woonkamer zat, legde haar handen op haar oren.
'Ik vond jullie aangenamer wanneer jullie verdrietig waren', bromde ze. 'Dan waren jullie tenminste niet zo luid.'
Ze vluchtte snel de keuken in om aan het lawaai te ontsnappen. Eline nam de nog steeds rinkelende telefoon op.
'Met Eline. Sander!'
Ze hield haar hand op de hoorn en gebaarde naar haar zussen.
'Het is Sander', fluisterde ze met een brede glimlach.
'Dat dachten we al', zei Noor traag. 'Zeg maar snel iets of hij denkt dat de lijn verbroken is!'
'Dat zou ik kunnen doen, als jullie me even met rust

zouden laten!'
Met knipperende ogen bracht ze haar mond weer aan de hoorn. Ze streek door haar haren alsof Sander voor haar stond.
'Wanneer zie ik je? O.'
Eline knikte met haar hoofd op en neer. Haar glimlach werd steeds smaller en haar ogen knipperden aan een trager tempo.
'Oké. Goed, ja. Dag.'
Ze haakte in en ging op de zetel zitten. Langzaam liet ze zich helemaal achterovervallen. Ze slaakte een diepe zucht.
'Sander heeft huisarrest!'

Lees ook :

ISBN 978 90 223 2805 7